Annette Kast-Zahn
Dr. med. Hartmut Morgenroth

Jedes Kind kann schlafen lernen

9 SCHLAFEN IST SO SCHÖN ...

41 SO WIRD IHR KIND VON ANFANG AN EIN »GUTER SCHLÄFER«

75 WIE »SCHLECHTE SCHLÄFER« SCHLAFEN LERNEN

139 SCHLAFSTÖRUNGEN MIT BESONDEREN URSACHEN

VORWORT

Jedes gesunde Kind ab sechs Monaten kann schlafen lernen. Einschlafen und durchschlafen. Meist dauert das nur einige Tage.
Wir bleiben bei dieser Behauptung, die damals bei vielen Eltern ungläubiges Staunen hervorgerufen hat. Von vielen haben wir erfahren, dass ihnen unsere Informationen wirklich geholfen haben: »Danke, es hat geklappt!« Über jede dieser Reaktionen haben wir uns gefreut. Auch untereinander haben sich junge Eltern offensichtlich über ihren Erfolg ausgetauscht – wie sonst wäre es zu erklären, dass sich dieses Buch vom »Geheimtipp« zum Bestseller mit über 700 000 Lesern entwickelt hat? Fast in jedem Geburtsvorbereitungskurs und jeder Krabbelgruppe und von vielen Kinderärzten wird es mittlerweile empfohlen.

Es gibt auch kritische Stimmen, vor allem anonym im Internet. Unser Eindruck ist, dass die schärfsten Kritiker das Buch oberflächlich oder nicht vollständig gelesen haben. Wir bieten nicht einfach eine Lösung für alle Schlafprobleme an. Sie können sich aus mehreren Möglichkeiten das heraussuchen, was für Ihre Situation am besten passt. Vor allem bleibt Ihnen viel Spielraum, um auf Ihr Herz zu hören und auf die individuellen Bedürfnisse Ihres Kindes Rücksicht zu nehmen.

In den letzten Jahren haben wir weiter dazugelernt. Unsere Empfehlungen werden mittlerweile durch neue Forschungsergebnisse untermauert. Es gibt einige neue Erkenntnisse über das Schlafverhalten von Kindern und den sicheren Babyschlaf. Außerdem haben wir von unseren Patienten und unseren Lesern mehr darüber gelernt, welche Fragen aufkommen und unter welchen Bedingungen Probleme auftreten können. Gemeinsam haben wir zusätzliche Lösungsmöglichkeiten entwickelt. All diese Informationen wollen wir Ihnen nicht vorenthalten. Daher haben wir das Buch für diese Auflage neu überarbeitet, erweitert und durch Fragebögen und anschauliche Grafiken ergänzt. Gleichzeitig hat es ein neues Gesicht bekommen, damit Sie, liebe Leser, noch mehr Freude am Lesen haben.

Dass für Ihr Kind und für Sie selbst nun bald richtig gute Schlaf-Zeiten anbrechen, wünschen Ihnen

Annette Kast-Zahn
und Hartmut Morgenroth

1

Schlafen ist so schön ...

In diesem Kapitel erfahren Sie ...

---▶ welche Erfahrungen wir mit unseren eigenen Kindern und in der Kinderarztpraxis gemacht haben

---▶ wie oft Schlafprobleme bei Kindern vorkommen

---▶ wie belastend Schlafprobleme der Kinder für die Eltern sind

---▶ wie lange Kinder schlafen

---▶ wie sich der Schlaf entwickelt

---▶ wie der Schlaf genau abläuft

---▶ warum so viele Kinder nachts aufwachen und weinen

...→ Mein **Kind** will
nicht schlafen!

Erfahrungen aus der Kinderarztpraxis

WENN FRISCH GEBACKENE ELTERN ihre Sprösslinge nach einigen Wochen oder Monaten stolz ihren Freunden und Bekannten vorstellen, wird eine Frage ganz besonders oft gestellt: »Schläft es schon durch?« Alle Mütter und Väter wissen: Das ist eine gute Frage.

⋯⋙ »Hilfe, ich kann nicht mehr!«

Ob sie die ersten Lebensmonate ihres Kindes einfach genießen können oder aber diese Zeit als ausgesprochen anstrengend empfinden und täglich mit Stress und mit zunehmender Erschöpfung kämpfen müssen – das hängt zu einem guten Teil mit der Antwort auf diese Frage zusammen.

Auch die Kinderärzte wissen davon ein Lied zu singen. Mehrmals täglich kommen Eltern in die Praxis, die ganz stolz und glücklich über die Fortschritte ihres Kindes berichten und zum Schluss seufzen: »Aber wenn sie doch nur besser schlafen würde …« oder »Wann wird er endlich aufhören, mich jede Nacht mehrmals aus dem Bett zu holen? Ich kann bald nicht mehr!«. Dr. Morgenroth, dem Mitverfasser dieses Buches, hat es lange Zeit sehr zu schaffen gemacht, dass er als Kinderarzt kaum wirkungsvolle Ratschläge geben konnte.

17 Fläschchen pro Nacht

Besondere Anteilnahme weckte bei uns die Geschichte der Zwillinge Peter und Annika. Von Anfang an musste die ganze Familie aus Platzgründen gemeinsam in einem Zimmer schlafen. Die Kinder wollten alle ein bis zwei Stunden trinken, und das bedeutete: 17 Fläschchen wurden Abend für Abend fertig gemacht, jeweils eines warm gestellt.

Die Eltern wechselten sich beim Füttern ab, waren zunehmend zermürbt und verzweifelt und hofften auf Besserung. Es wurde aber nicht besser – auch nicht, als der Kinderarzt gegen seine Überzeugung Beruhigungsmittel verordnete. Es wurde immer noch nicht besser, als die Kinder nach dem Umzug in eine größere Wohnung getrennt schlafen gelegt wurden. Mit zwei Jahren konnten sie sich zumindest die bereitgestellten Flaschen selbst nehmen, die Eltern mussten nur noch drei- bis viermal aufstehen. Aber erst mit vier Jahren wurden die Zwillinge während eines Urlaubs vom Fläschchen entwöhnt und schliefen von nun an durch.

Wir wissen inzwischen, dass man den Eltern all die Erschöpfung, den ständigen Schlafmangel und die Belastung der eigenen Beziehung durch die extreme Aufopferung hätte ersparen können!

Babys und Kleinkinder, die abends nicht einschlafen wollen oder nachts mehrmals wach werden, sind fast nie »Problemkinder«, mit denen etwas nicht stimmt. Im Gegenteil: Sie sind lernfähige kleine Persönlichkeiten. Sie reagieren völlig normal und folgerichtig.

Auch die betroffenen Eltern brauchen keine Angst zu haben, dass mit ihnen irgendetwas nicht stimmt. Wir haben bei unseren zahlreichen Beratungsgesprächen viele ganz besonders liebevolle und hoch engagierte Eltern kennen gelernt, die bereit waren, alles für ihr Kind zu tun.

Wir wissen jetzt: Alle gesunden Kinder, die mindestens sechs Monate alt sind, können nachts durchschlafen. Wenn sie es noch nicht tun, können sie es lernen. Sogar schnell. Das ist doch wirklich eine gute Nachricht, oder?

Wie alles begann:
Erfahrungen mit den eigenen Kindern

AUCH ICH WAR ÜBERZEUGT, eine liebevolle und engagierte Mutter zu sein. Meine ersten beiden Kinder waren anstrengend. Das bedeutete: Insgesamt fünf Jahre lang fast jede Nacht mehrmals aufstehen. Als das endlich ausgestanden war, meldete sich das dritte Kind an. Ich dachte: »Bei einer so erfahrenen Mutter wie mir kann ja nun nichts mehr schiefgehen. Diesmal wird sicher alles gut klappen.« Tatsächlich liefen die ersten Lebenswochen recht harmonisch

ab. Doch je älter die kleine Andrea wurde, desto öfter wollte sie nachts an die Brust. Sie schlief deshalb irgendwann nicht mehr in ihrem Kinderbett, sondern der Einfachheit halber im Ehebett. Mein Mann war frustriert ins Dachzimmer gezogen, damit zumindest er einigermaßen schlafen konnte.

Ungefähr siebenmal wurde Andrea im Alter von sieben Monaten nachts gestillt, ab vier Uhr morgens schlief sie kaum noch richtig. Alle 15 bis 30 Minuten schreckte sie hoch und wollte wieder nuckeln. Auch tagsüber dachte sie nicht daran, in ihrem Bettchen zu schlafen.

Nur unterwegs im Auto und im Kinderwagen genehmigte sie sich ab und zu ein halbes Stündchen Schlaf, allerdings zu ganz unterschiedlichen Zeiten. Es kamen insgesamt nicht mehr als neun Stunden Schlaf zusammen. Für mich natürlich noch viel weniger – und immer nur 30 Minuten bis höchstens zwei Stunden am Stück. Da nützte alle Erfahrung als Mutter und alles Fachwissen als Psychologin nichts. Und die zahlreichen Elternratgeber? Fehlanzeige. Bestenfalls war darin zu lesen, dass sich die Eltern bei der nächtlichen Betreuung abwechseln sollten. Oder es stand darin, dass die meisten Kinder mit drei Monaten durchschlafen. Und wenn nicht, warum nicht? Und was tun? Kein Wort darüber, kaum ein hilfreicher Ratschlag.

Es blieb mir also nichts anderes übrig, als mich am Rande der Erschöpfung über den Tag zu retten. Die beiden älteren Kinder – mein sechsjähriger Sohn Christoph und meine vierjährige Tochter Katharina – hätten eigentlich in dieser Zeit besondere Zuwendung gebraucht. Christoph war gerade eingeschult worden und Katharina war soeben in den Kindergarten gekommen. Beide kamen in dieser aufregenden Umstellungsphase zu kurz.

Auch meine Ehe kam zu kurz. Für alle war es eine schwierige Zeit. Es schien ein besonders ungerechtes Schicksal zu sein, als Mutter schon wieder mit einem Baby gestraft zu sein, das offenbar ein »schlechter Schläfer« war, trotz aller liebevollen Zuwendung.

⋯⟶ Besuch beim Kinderarzt – mit überraschenden Erkenntnissen

Eher beiläufig erzählte ich meinem Kinderarzt Dr. Hartmut Morgenroth, dem Mitautor dieses Buches, bei der U5 (der Vorsorgeuntersuchung für Kinder im Alter von sieben Monaten) von meinen Sorgen – eigentlich ohne Hoffnung auf wirkungsvolle Ratschläge. Denn bei den Schlafproblemen mit den ersten beiden Kindern hatte er mir nur sein freundliches, aber hilfloses Mitgefühl gezeigt.

Diesmal war es anders. Seine verblüffende Reaktion war die Frage »Wollen Sie etwas daran ändern?«. Es folgte ein längeres Gespräch. Dr. Morgenroth erzählte mir von seiner Fortbildungs-Reise durch die USA, von seinem Besuch in einer renommierten Kinderklinik in Boston, wo er Professor Ferber kennen gelernt hatte. Dieser Professor leitet dort ein Kinderschlafzentrum. Schon Mitte der achtziger Jahre hatte er eine Methode entwickelt, wie Eltern ihren Babys und Kleinkindern innerhalb kurzer Zeit das Einschlafen und Durchschlafen beibringen können. Professor Ferbers Buch über die von ihm entwickelte Methode (siehe Quellenverzeichnis, Seite 164) und einige weitere Veröffentlichungen zum Thema in englischer Sprache hatte Dr. Morgenroth von dort mitgebracht und präsentierte sie nun mir, der staunenden, erschöpften Mutter.

Mir fiel es beim Lesen wie Schuppen von den Augen. Schnell begriff ich, warum meine Kinder so schlecht geschlafen hatten und was ich in Zukunft anders machen konnte. Alles erschien mir so klar und einleuchtend, dass nur die Frage blieb: »Warum bin ich nicht längst selbst darauf gekommen?«

Kleiner Aufwand, große Wirkung

Meine kleine Tochter Andrea wurde meine erste »Patientin«. Sie lernte innerhalb von zwei Wochen, tagsüber zwei eineinhalbstündige Tagesschläfchen zu festen Zeiten zu halten und nachts von 20 bis 7 Uhr ohne Unterbrechung in ihrem Bettchen durchzuschlafen. Insgesamt waren das mindestens drei Stunden Schlaf mehr als vorher! Die ganze Familie atmete auf. Ich als Mutter empfand die veränderte Situation als sprunghaften Anstieg meiner Lebensqualität. Mit wenig Aufwand war eine so positive Veränderung erreicht worden! Da gab es nur eine mögliche Konsequenz:

Diese hilfreiche Methode, zusammen mit dem nötigen Wissen über den kindlichen Schlaf, sollte möglichst vielen Müttern und Vätern bekannt gemacht werden. Wenn Sie nun schon ganz neugierig geworden sind: Ab Seite 76 wird die Methode genau beschrieben.

Der Beginn einer erfolgreichen Zusammenarbeit

Für Dr. Morgenroth und mich begann nun eine sehr fruchtbare Zusammenarbeit. In den kommenden Jahren führten sowohl der Kinderarzt als auch ich selbst viele hundert Gespräche mit betroffenen Müttern und Vätern. Der Erfolg war überwältigend. Schlafprobleme konnten meist nach einem einmaligen Gespräch innerhalb weniger Tage gelöst werden.

Mittlerweile beraten wir fast nur noch Familien mit ganz besonders schwerwiegenden Schlafproblemen persönlich – die »normalen« Schlafprobleme bekommen die Eltern mit Hilfe dieses Buches meist selbst in den Griff.

⋯⟫ Schlaflose Kinder – gestresste Eltern

Durchschlafen ist normal – wenn man keine kleinen Kinder hat. Für junge Eltern ist das dagegen gar nicht selbstverständlich. Jeder weiß, dass kleine Säuglinge nachts manchmal weinen. Aber wann hört das auf? Einmal pro Nacht durch ihr Kind geweckt zu werden nehmen Eltern in der Regel noch in Kauf. Daran kann man sich gewöhnen. Problematischer wird es dagegen, wenn ein Kind mehrmals pro Nacht seine Eltern weckt. Einige Wochen lang kann man das einigermaßen durchhalten. Aber auf Dauer sinkt die Lebensqualität, Erschöpfung macht sich breit. Erst recht stellt sich die Frage: »Hört das bald auf – ganz von selbst?« Ungestörter Schlaf ist wertvoll und wichtig für die ganze Familie. Das Thema ist ein Dauerbrenner für junge Eltern.

⋯⋗ Die Umfrage

Wir wollten es genauer wissen: Wie viele Kinder schlafen eigentlich in den verschiedenen Altersgruppen der Vorsorgeuntersuchungen durch? Wie viele wachen im Laufe der Nacht einmal auf, und wie viele werden nachts zweimal oder noch öfter wach? Wir haben insgesamt 457 Mütter bei allen Vorsorgeuntersuchungen von der U3 (für sechs bis acht Wochen alte Babys) bis zur U8 (für vier Jahre alte Kinder) nach dem Schlafverhalten ihres Nachwuchses gefragt. Die Ergebnisse dieser Studie haben wir auf der folgenden Doppelseite anschaulich für Sie dargestellt.

⋯⋗ Die Schlafstudie

Im Jahr 2004 wurde von der Amerikanischen Schlafgesellschaft eine große Untersuchung zum Thema Kinderschlaf durchgeführt. Hier wurden ebenso viele Eltern von Kindern zwischen null und drei Jahren befragt wie in unserer oben beschriebenen Studie. Eltern und Kinder wurden sorgfältig nach statistischen Merkmalen ausgesucht, damit ein möglichst repräsentatives Ergebnis erzielt werden konnte.

Allerdings wurden alle Babys im ersten Lebensjahr sozusagen in einen Topf geworfen. Das ist schade, denn die Unterschiede zwischen einem Neugeborenen und einem Einjährigen sind gerade bei den Schlafgewohnheiten erheblich, kamen aber auf diese Weise in der Untersuchung nicht zum Vorschein. Heraus kam jedenfalls: Nur etwa ein Drittel aller Kinder im ersten Lebensjahr schläft nachts durch. Das entspricht ziemlich genau dem Ergebnis unserer eigenen Untersuchung.

Ergebnisse der Umfrage

Auf den folgenden beiden Seiten stelle ich Ihnen nun die Ergebnisse der von Dr. Morgenroth und mir durchgeführten Elternbefragung zum Schlafverhalten der Kinder im Alter von vier Wochen bis vier Jahren vor.

Die erste Abbildung auf der rechten Seite zeigt, wie viele Kinder in jeder der sechs Altersgruppen nachts durchschliefen: In fast allen Altersgruppen waren dies erheblich weniger als die Hälfte der Kinder.

- Bei den vier bis sechs Wochen alten Babys schliefen sogar nur 6 Prozent nachts durch.
- Am häufigsten schliefen die einjährigen Kinder durch: Nur in dieser Altersgruppe schafften es mehr als die Hälfte, nämlich 53 Prozent.

Für die Eltern bedeuten diese Ergebnisse: Während der ersten Lebensjahre ihrer Kinder ist eine ungestörte Nachtruhe nicht die Regel, sondern eher die Ausnahme. Mindestens einmal pro Nacht wird die Mehrheit der Kinder wach, und die Eltern werden ebenfalls geweckt.

In der zweiten Abbildung auf der rechten Seite wird wiedergegeben, wie viele Kinder in der jeweiligen Altersgruppe nachts mindestens zweimal ihre Eltern weckten:

- Bei den vier bis sechs Wochen alten Babys tat dies bei unserer Untersuchung noch knapp die Hälfte.
- Von den drei bis vier Monate alten Babys wurde ein Drittel mehrmals pro Nacht wach.
- Von den ein- bis zweijährigen Kindern wachte immer noch ein Viertel in der Nacht auf.

- Erst im Alter von vier Jahren kam es deutlich seltener vor, dass die Kinder nachts mehrmals aufwachten und ihre Eltern ebenfalls weckten – in diesem Alter traf es nur noch auf zehn Prozent der Kinder zu.

Auch hier kam die auf Seite 15 erwähnte amerikanische Studie zu einem ähnlichen Ergebnis: Im ersten Lebensjahr wurden laut dieser Befragung knapp die Hälfte der Kinder mehrmals pro Nacht wach, bei den Kleinkindern bis zu drei Jahren waren es dagegen nur noch neun Prozent.

Warten hilft nicht

Die Ergebnisse unserer Untersuchung spiegeln auch wider, was wir bereits bei unseren Beratungsgesprächen immer wieder erfahren haben: Schlafprobleme lösen sich vor dem dritten Lebensjahr selten von selbst. Wenn ein Baby mit einem halben Jahr noch nicht durchschläft, wird es seine Eltern wahrscheinlich auch noch ein Jahr später nachts »auf Trab« halten.

Was man an dieser Statistik dagegen nicht ablesen kann: Viele Kinder haben schon einmal wochen- oder monatelang wunderbar geschlafen, stellen dann aber, zum Beispiel nach einer Krankheit oder nach einem Urlaub, ihr Verhalten um – und mit der ungestörten Nachtruhe ist es wieder vorbei.

Wie viele Kinder schlafen durch?

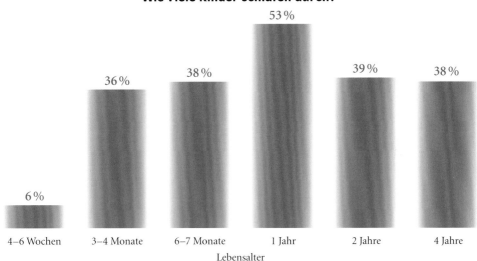

Lebensalter

Wie viele Kinder werden nachts zweimal oder öfter wach?

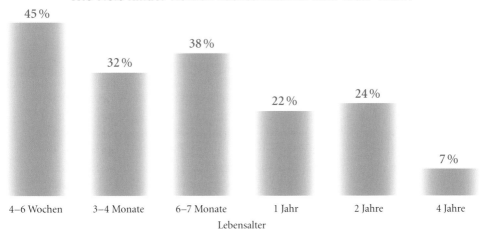

Lebensalter

HAND AUFS HERZ

Fühlen Sie sich gestresst?

Wenn ein Kind Probleme beim Ein- und Durchschlafen hat, belastet das vor allem die Eltern. Hier können Sie einschätzen, wie das Schlafverhalten Ihres Kindes und Ihr »Stress-Grad« zusammenhängen.

1. Stufen Sie sich selbst auf dem Stress-Thermometer ein: Welchen Stress-Wert erreichen Sie im Moment?

2. Wie oft wird Ihr Kind nachts durchschnittlich wach und weckt Sie dadurch auf?

3. Sehen Sie einen Zusammenhang zwischen dem Schlafverhalten Ihres Kindes und Ihrem Stress-Wert?

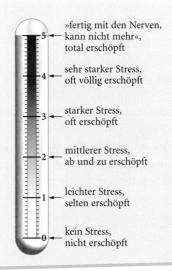

5 ← »fertig mit den Nerven, kann nicht mehr«, total erschöpft

4 ← sehr starker Stress, oft völlig erschöpft

3 ← starker Stress, oft erschöpft

2 ← mittlerer Stress, ab und zu erschöpft

1 ← leichter Stress, selten erschöpft

0 ← kein Stress, nicht erschöpft

Das »Stress-Thermometer«

Wenn von einer »kindlichen Schlafstörung« gesprochen wird, ist meist gemeint: Ein Kind braucht lange, um einzuschlafen, wacht nachts mehrmals auf – oder beides. Tagsüber ist es unausgeglichen, weil es insgesamt zu wenig schläft. Beeinträchtigt werden aber auch die Eltern, denn ihr Schlaf wird ebenfalls unterbrochen. Oft können sie nicht sofort wieder einschlafen und sehr oft den fehlenden Schlaf nicht nachholen.

In unserer Untersuchung wurden alle Eltern – fast immer waren es die Mütter, die mit ihren Kindern in die Praxis kamen – zusätzlich gefragt, wie gestresst sie sich fühlten. Dafür haben wir ihnen das »Stress-Thermometer« vorgelegt.

Natürlich fühlen sich viele Eltern durch unruhige Nächte gestresst. Besonders die Mütter, die nachts mehr als zweimal aufstehen mussten, empfanden starken bis sehr starken Stress und Erschöpfung. Nur sehr wenige Mütter von

»schlechten Schläfern« stuften sich als ruhig und ausgeglichen ein. Mütter von »guten Schläfern« dagegen waren nur selten gestresst oder erschöpft.

Am meisten genießen Mütter die Zeit um den vierten Lebensmonat: Hier gab es niedrigere Stress-Werte als in allen anderen Altersgruppen. Was kann es auch Schöneres geben als ein Baby, das den Kontakt zu seiner Umwelt voll aufgenommen hat, lächelt, lacht, lauscht – und das alles friedlich auf dem Rücken liegend! Die Zeit der »Drei-Monats-Koliken« ist vorbei. Das Baby schreit nicht mehr so viel. Es kann noch nicht wegkrabbeln und keinen Unsinn anstellen.

Und es schläft noch bis zu 15 Stunden am Tag. Selbst wenn es mit dem Schlaf noch nicht ganz so gut klappt – diesen wunderbaren kleinen Geschöpfen können die meisten Eltern alles verzeihen.

Hingabe und sogar Aufopferung für das eigene Kind kann etwas Schönes und Beglückendes sein. Nach unserer Erfahrung sind die allermeisten Mütter und auch viele Väter hingebungsvoll und bereit sich aufzuopfern. Aber irgendwann muss auch das eigene Leben wieder zu seinem Recht kommen. Das tut nicht nur der Mutter gut, sondern auch dem Kind und den übrigen Familienmitgliedern.

DAS WICHTIGSTE AUF EINEN BLICK

···} **Schlafprobleme bei Kleinkindern sind weit verbreitet.**
- »Unser Kind schläft nicht durch. Was sollen wir bloß tun?« Vielen Eltern brennt dieses Problem auf den Nägeln. Im Babyalter wird mindestens jedes dritte Kind nachts mehrmals wach und weint. Von allein löst sich dieses Problem meist nicht.

···} **Schlechter Kinderschlaf verursacht Elternstress.**
- Eltern von »guten Schläfern« fühlen sich meist ruhig und ausgeglichen.

- Eltern – vor allem Mütter – von »schlechten Schläfern« dagegen sind in den meisten Fällen sehr gestresst und erschöpft.

···} **»Schlechte Schläfer« sind keine »Problemkinder«.**
- Kinder sind lernfähige kleine Persönlichkeiten. Alle gesunden Babys, die mindestens sechs Monate alt sind, können allein einschlafen und nachts durchschlafen. Wenn sie es noch nicht tun, können sie es lernen. Und das sogar schnell.

Was **wissen** wir über den **kindlichen Schlaf**?

Wie lange schlafen Kinder?
Von Wenigschläfern und Murmeltieren

WER KENNT NICHT DIE BERICHTE stolzer Mütter von ihrem »pflegeleichten Baby«, das von Geburt an zu den Mahlzeiten geweckt werden muss und mit wenigen Wochen durchschläft? Solche »geborenen guten Schläfer« gibt es wirklich. Sie lassen sich durch nichts aus der Ruhe bringen. Eltern von quicklebendigen, quirligen Kindern können solche Geschichten kaum glauben. Ihr Baby will anscheinend auf keinen Fall etwas verpassen. Von Schlafen hält es gar nichts.

Aber so gut es die Eltern der »Murmeltiere« auch haben: Die weniger verwöhnten müssen nicht verzweifeln. Auch ihr Kind kann lernen, abends zu einer vernünftigen Zeit einzuschlafen und bis zum nächsten Morgen in seinem Bettchen zu bleiben.

Kurze Wachzeiten sind normal. Jedes Kind kann lernen, damit umzugehen, ohne seine Eltern zu wecken.

Viele Kinder, die extrem kurze Schlafzeiten haben, zum Beispiel neun Stunden im Alter von sechs Monaten, können lernen, länger zu schlafen. Manche Ausnahmekinder kommen allerdings tatsächlich mit so wenigen Stunden aus. Diese kleinen »Wenig-Schlaf-Genies« können zumindest lernen, ihre paar Stunden nachts am Stück und gleichzeitig mit ihren Eltern zu schlafen.

Extrem selten ist eine angeborene neurologische Störung, die ein Kind am Schlaf hindert und es regelmäßig nachts stundenlang wach hält. Hier ist ein Schlaftraining, wie wir es empfehlen, kaum hilfreich. Sehr wahrscheinlich hat Ihr Kind jedoch keine solche Störung – sondern es ist gesund und in der Lage, schlafen zu lernen. So viel, wie es seinem Alter und Bedürfnis entspricht.

Sie erfahren nun, was wir über den kindlichen Schlaf wissen. Unsere Empfehlungen in den folgenden Kapiteln bauen logisch auf diesem Wissen auf.

⋯⋗ Wie lang ist die Nacht?

Es gibt neue Daten darüber, wie lange Kinder schlafen: Es ist weniger, als die meisten Eltern denken. Die auf Seite 15 erwähnte Eltern-Befragung der Amerikanischen Schlafgesellschaft kam zu folgendem Ergebnis:

In den ersten Lebenswochen schlafen Babys nachts nur sehr wenig. In der Grafik auf Seite 22 können Sie verfolgen, wie sich der Nachtschlaf entwickelt. Die feine Linie zeigt die genauen Werte, die von den Eltern angegeben wurden. Mit der dickeren Linie haben wir sie »begradigt«, denn die Schwankungen sind sehr gering. Wie Sie sehen, ändert sich während der meisten Zeit fast nichts.

In den ersten beiden Lebensmonaten beträgt die Schlafdauer nachts weniger als acht Stunden. Allmählich wird es mehr. Im Alter von sechs Monaten sind es im Durchschnitt knapp zehn Stunden. Dabei bleibt es, bis das Kind etwa sieben Jahre alt ist. Danach nimmt das Schlafbedürfnis langsam weiter ab. Die nächtliche Schlafzeit ändert sich vom Baby bis zum Schulkind also kaum.

Nach der amerikanischen Untersuchung schläft nur ein kleiner Teil der Kinder länger als elf Stunden. Bei früheren Untersuchungen wurden meist längere Schlafzeiten ermittelt – so schätzten die Eltern im Rahmen einer

Langzeitstudie in Zürich den Nachtschlaf ihrer Kinder im Schnitt um eine Stunde länger ein. Die durchschnittliche nächtliche Schlafdauer liegt also wahrscheinlich zwischen zehn und elf Stunden. Abweichungen von einer Stunde nach oben oder unten sind völlig normal. Allerdings könnten viele Kinder besser und länger schlafen, wenn sie gute Einschlafgewohnheiten hätten. Darüber erfahren Sie später mehr.

Dass sich der Nachtschlaf vom Baby bis zum Schulkind wenig verändert, hat einen Vorteil: Geschwister können in den ersten Lebensjahren etwa gleichzeitig ins Bett gebracht werden. Die Unterschiede im Schlafbedürfnis werden durch den Mittagsschlaf ausgeglichen. Wenn jedoch das jüngere Kind besonders wenig Schlaf braucht, während das ältere ein »Murmeltier« ist, kann es

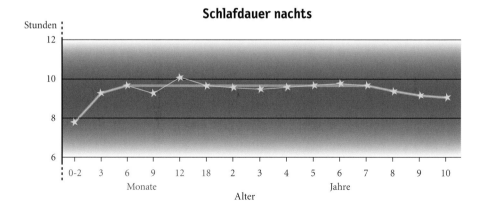

Schlafdauer nachts

HAND AUFS HERZ

Wie viel schläft Ihr Kind?

Zum Glück schlafen Babys und Kleinkinder nicht nur nachts, sondern auch tagsüber. Wie oft und wie lange, hängt von ihrem Alter, ihrem Schlafbedürfnis und ihren Gewohnheiten ab. Mit Hilfe dieses kleinen Fragebogens können Sie sich zunächst einmal bewusst machen, wie viel Ihr Kind tatsächlich schläft. Die Grafik auf Seite 25 bietet Ihnen dazu durchschnittliche Vergleichswerte.

⋯ Wie viel schläft Ihr Kind nachts?

○ weniger als 8 Stunden
○ 8 bis 9 Stunden
○ 9 bis 10 Stunden
○ 10 bis 11 Stunden
○ mehr als 11 Stunden

⋯ Schläft Ihr Kind noch tagsüber?

○ nein
○ ja, einmal am Tag
○ ja, zweimal am Tag
○ ja, mindestens dreimal am Tag

⋯ Wie lange schläft Ihr Kind tagsüber?

○ weniger als 1 Stunde
○ 1 bis 2 Stunden
○ 2 bis 3 Stunden
○ mehr als 3 Stunden

⋯ Wie viel schläft Ihr Kind tagsüber und nachts zusammen?

...... Stunden

⋯ Sind Sie mit dem Schlafbedürfnis Ihres Kindes zufrieden?

---

sinnvoll sein, das ältere Kind vor dem jüngeren zu Bett zu bringen.

⋯ Wie verteilt sich der Schlaf?

Ein Neugeborenes hat noch keine »innere Uhr« – es kennt noch nicht den Unterschied zwischen Tag und Nacht. Es schläft tagsüber und nachts etwa gleich viel. Seine durchschnittliche Schlafzeit liegt bei 16 Stunden. Die verteilt das Kind in kleinen und größeren »Häppchen« gleichmäßig auf Tag und Nacht. Allerdings gibt es in den ersten Lebenswochen oft große Abweichungen vom Durchschnittswert.

Wann ist Tag – wann ist Nacht?

Den Unterschied zwischen Tag und Nacht lernen Säuglinge im Laufe der ersten drei bis sechs Lebensmonate. Ihr Nachtschlaf wird immer länger. Anzahl und Dauer der Tagesschläfchen nehmen dagegen ab. Schon mit drei Monaten schlafen Kinder nachts deutlich mehr als tagsüber, viele kommen nun bereits mit drei Tagesschläfchen aus.

Wie viel Schlaf in welchem Alter?

Mit spätestens sechs Monaten ist es so weit: Eine etwa zehnstündige durchgehende Nachtruhe (ohne Mahlzeiten) ist normal – und für alle gesunden Kinder erlernbar. Was Ihr Kind zusätzlich an Schlaf braucht, holt es sich tagsüber. Vom sechsten Monat bis Anfang oder Mitte des zweiten Lebensjahres sind es noch zwei Tagesschläfchen: eins vormittags und eins nachmittags. Danach stellt sich Ihr Kind auf einen einzigen Mittagsschlaf um. Im Alter zwischen zwei und vier Jahren gewöhnen sich die meisten Kinder auch den Mittagsschlaf ab. Der Nachtschlaf wird ab dem siebten Lebensjahr immer kürzer, jedes Jahr ungefähr um eine Viertelstunde.

In der Abbildung rechts sehen Sie, wie sich die Schlafdauer der Kinder entwickelt und wie sich der Schlaf je nach Alter auf den Tag und die Nacht verteilt. Wenn Sie die Schlafzeiten Ihres Kindes mit der Grafik vergleichen, bedenken Sie: Es sind die Werte der amerikanischen Schlafstudie, bei der besonders kurze Schlafzeiten ermittelt wurden. Die Kinder aus der Schweiz (siehe Seite 22) schliefen auch tagsüber deutlich länger. Ein bis zwei Stunden Abweichung von den hier angegebenen Werten sind normal. Besonders groß sind die Unterschiede bei den Tagesschläfchen.

Allerdings ist bei vielen Kindern »noch Luft drin«: Sie könnten wesentlich mehr schlafen, wenn sie bessere Schlafgewohnheiten hätten. Bei der auf Seite 15 beschriebenen Studie hatte beinahe die Hälfte der befragten Eltern das Gefühl, ihr Baby bekomme zu wenig Schlaf!

Manchen Kindern merkt man ihre Müdigkeit genau an. Sie reiben sich die Augen und sind tagsüber quengelig. Sie wollen sich mit nichts beschäftigen. Andere scheinen am Tag ganz friedlich und gut gelaunt zu sein und können ausdauernd allein spielen. Die Eltern merken erst nach dem »Schlaftraining«, dass ihr Kind mit ein paar mehr Stunden Schlaf noch ausgeglichener und zufriedener ist.

Vielleicht stellen Sie aber auch fest, dass Ihr Kind viel länger schläft als die Durchschnittswerte in der Grafik angeben. In der Regel ist das kein Grund zur Sorge. Wahrscheinlich haben Sie es einfach mit einem ausgesprochenen Langschläfer zu tun.

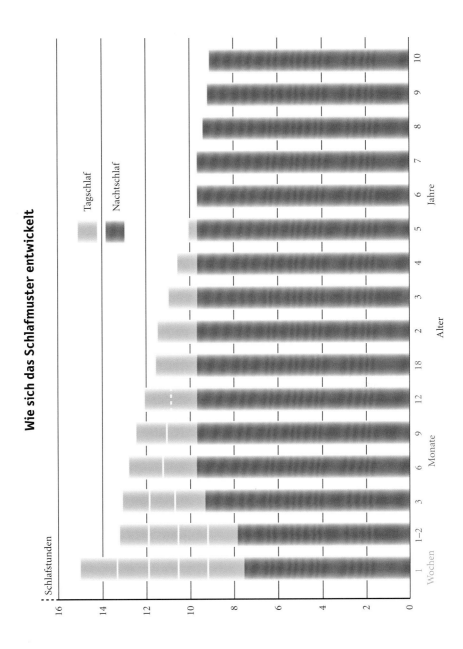

Wie sich das Schlafmuster entwickelt

Narkolepsie

Ein übergroßes und unwiderstehliches Schlafbedürfnis, das ein Kind mehrmals täglich anfallsartig überkommt, kann in seltenen Fällen auch Anzeichen einer ernsthaften Erkrankung sein. Diese Krankheit heißt Narkolepsie. Sie tritt aber frühestens im Grundschulalter auf und kommt so extrem selten vor, dass sie hier nicht näher erläutert werden muss. Wenn Ihnen die Schlafzeiten Ihres Kindes ganz unnormal lang vorkommen und es trotzdem tagsüber sehr schläfrig wirkt, sollten Sie vorsorglich Ihren Kinderarzt darauf ansprechen.

⋯⟩ Mangel an Müdigkeit

Interessant könnte der Vergleich der Schlafzeiten Ihres Kindes mit den Werten in der Grafik auf Seite 25 besonders dann sein, wenn Sie feststellen: Mein Kind schläft zwar insgesamt genug, vielleicht sogar mehr als der Durchschnitt, will aber abends nicht ins Bett oder ist mitten in der Nacht plötzlich hellwach und will spielen. Ebenso wie ein Kind, das zu wenig schläft, kann dies natürlich die Eltern sehr belasten.

Türmchen bauen mitten in der Nacht

Genau so ein Fall war die zwölf Monate alte Mira: Jede zweite Nacht, irgendwann gegen ein Uhr, wurde Mira wach und war für die nächsten ein bis zwei Stunden topfit. Sie dachte gar nicht daran, wieder einzuschlafen, sondern wollte jede Menge »Action«.

Miras Mutter war um ein Uhr nachts verständlicherweise nicht gerade danach zumute, mit ihrer Tochter Türmchen zu bauen. Sie versuchte es mit dem Fläschchen, sie holte Mira zu sich ins Bett – alles war vergeblich. In ihrer Verzweiflung fand die Mutter schließlich keinen anderen Weg, als die kleine Mira in ihr Bettchen zurückzubringen. Mira schrie bis zu einer Stunde. Irgendwann schlief sie schreiend ein. So lief es jede zweite Nacht.

Unser Beratungsgespräch ergab, dass Miras Schlafzeit das Kernproblem war: An ihren »guten« Tagen, an denen sie nachts nicht aufwachte, schlief sie von sieben Uhr abends bis sieben Uhr morgens, dazu kam ein dreistündiger Mittagsschlaf; insgesamt kam sie also auf 15 Stunden. Das war zu viel! Genau deshalb war Mira nachts wach – aus Mangel an Müdigkeit. Die Lösung war denkbar einfach: Mira musste regelmäßig nach eineinhalb Stunden Mittagsschlaf geweckt werden. Sie schlief nach der zweiten Nacht durch. Die erleichterte Mutter war fassungslos. Sie hatte das Schlafbedürfnis ihres Kindes einfach überschätzt.

So etwas kommt gar nicht selten vor. Die meist scherzhaft geäußerte Vorstellung mancher Eltern, ihr Baby möge doch bitte von sechs Uhr abends bis neun Uhr morgens schlafen, muss deshalb eine Wunschvorstellung bleiben.

Die bittere **Wahrheit** lautet: Wer sein Kind **abends** um sechs ins Bett legt, muss damit rechnen, dass es **morgens** um vier ausgeschlafen ist!

Jeden Abend das gleiche Spiel ...

Die Geschichte vom zehnjährigen Udo zeigt, dass auch bei älteren Kindern Probleme durch zu frühes Zubettbringen entstehen können.

Udos Mutter schickte ihren Sohn täglich zwischen 19 und 19.30 Uhr ins Bett und knipste das Licht in seinem Zimmer aus. Jedoch wurde regelmäßig nichts aus dem ersehnten ruhigen Abend für die berufstätige allein erziehende Mutter. Seit Jahr und Tag kam Udo immer wieder aus seinem Zimmer ins Wohnzimmer, hatte Durst, Hunger, wollte diskutieren und schlief erst zwischen 21.30 und 22 Uhr abends ein.

Am Wochenende durfte Udo ohnehin so lange aufbleiben. Dann ging er friedlich ohne Theater ins Bett. Auch am Wochenende stand er um sieben Uhr morgens auf, genau wie während der Woche, wenn er zur Schule musste. Damit war klar: Udo bekam genug Schlaf, sonst hätte er ihn am Wochenende nachgeholt. Neuneinhalb Stunden entsprechen auch ungefähr dem Durchschnitt für sein Alter.

Trotzdem war der Mutter nicht zuzumuten, jeden Abend mit ihrem Sohn bis fast 22 Uhr das Wohnzimmer zu teilen. Wir einigten uns auf folgende Lösung: Bis 19.30 Uhr musste Udo sich für die Nacht fertiggemacht haben. Hielt er sich daran, kam die Mutter noch bis 20 Uhr zu ihm auf die Bettkante. Sie konnten reden oder spielen – ganz nach Udos Wünschen. Dann verließ die Mutter das Zimmer, und Udo durfte sich noch bis 21.30 Uhr in seinem Zimmer allein beschäftigen. Bedingung: Er musste seiner Mutter in dieser Zeit ihre wohlverdiente Ruhe lassen. Udo war mit diesem Vorschlag sofort einverstanden. Auch ihm erschien er als Verbesserung. Nun konnte er innerhalb weniger Minuten einschlafen, sobald das Licht ausgemacht wurde.

Was passiert eigentlich im Schlaf?

VOR ÜBER 50 JAHREN entdeckten die beiden amerikanischen Wissenschaftler Aserinsky und Kleitman, dass der Schlaf kein gleichförmiger Ruhezustand ist. Im Schlaflabor kann man mit Hilfe des EEG (Elektroenzephalogramm, eine Methode zur Aufzeichnung der Hirnströme) genau messen, wie sich die Aktivität des Gehirns im Laufe der Nacht verändert.

Man kann deutlich zwischen zwei sehr verschiedenen Schlafarten unterscheiden. In der Fachsprache heißen sie Nicht-REM-Schlaf und REM-Schlaf. In der Alltagssprache sagen wir Tiefschlaf und Traumschlaf.

⋯⋗ Tiefschlaf und Traumschlaf

Wenn wir einschlafen, fallen wir zunächst in den ruhigen Tiefschlaf. Wir durchlaufen nacheinander alle vier Stufen des Tiefschlafs – als gingen wir langsam eine Treppe hinab und fielen mit jeder Stufe in noch tieferen Schlaf. Angekommen auf den Stufen drei und vier wird die Atmung sehr ruhig. Das Herz schlägt gleichmäßig, das Gehirn »ruht sich aus«. Im EEG ist das erkennbar an großen, langsamen Wellenlinien, den so

genannten Delta-Wellen. Da das Gehirn in dieser Phase nur wenige Impulse zu den Muskeln schickt, bewegen wir uns nicht viel. Es kann jedoch passieren, dass wir beginnen zu schnarchen.

Aus den Stufen drei und vier können wir nur schwer geweckt werden, zum Beispiel durch laute Geräusche wie Telefonklingeln. Im ersten Moment sind wir dann ganz durcheinander und müssen uns erst wieder zurechtfinden. Dieser Effekt ist verwandt mit bestimmten kindlichen Schlafstörungen (Nachtschreck und Schlafwandeln), auf die wir ab Seite 139 genauer eingehen.

Nach zwei bis drei Stunden wird der Tiefschlaf zum ersten Mal vom Traumschlaf abgelöst. Der wissenschaftliche Name REM (rapid eye movements = schnelle Augenbewegungen) sagt aus: Während dieser Schlafphase bewegen sich die Augen hinter den geschlossenen Lidern recht schnell. Gleichzeitig werden Herzschlag und Atmung heftiger und ungleichmäßiger. Der Körper verbraucht mehr Sauerstoff. Das Gehirn wird plötzlich aktiv. Wir träumen! Würde uns in dieser Phase jemand wecken, könnten wir unseren letzten Traum wahrscheinlich genau erzählen.

Traumhaft entspannt

Bis heute weiß man nicht genau, warum wir eigentlich träumen. Sicher ist nur: Schlafwandeln oder um sich schlagen kann man im Traum nicht. Die Muskeln sind im Traumschlaf fast alle ruhig gestellt. Das Gehirn »feuert« zwar viele Reize Richtung Muskeln. Diese Reize kommen dort jedoch nicht an, sondern werden im Rückenmark gestoppt. Nur so ist es möglich, dass wir auch beim aktivsten Traum fast regungslos im Bett liegen und uns im Schlaf erholen. Wenn Hände und Gesicht ein wenig zucken, steht das allerdings möglicherweise im Zusammenhang mit unseren Träumen.

⋯⧐ Vom Baby zum Erwachsenen: Wie sich der Schlaf verändert

Traumschlaf und Tiefschlaf wechseln sich mehrmals in der Nacht ab, bei Babys ebenso wie bei Erwachsenen. Allerdings macht der REM-Schlaf (Traumschlaf) bei Frühgeborenen 80 Prozent der Schlafzeit aus, bei voll ausgetragenen Neugeborenen nur 50 Prozent, bei dreijährigen Kindern ein Drittel und bei Erwachsenen nur noch ein Viertel. Schlafforscher haben sich Gedanken darüber gemacht, warum der REM-Schlaf beim Kind im Mutterleib und beim Neugeborenen eine so große Rolle spielt. Einige kamen auf die Idee, dass Kinder im

Schlaf etwas für die Reifung ihres Gehirns tun: Die Reize durchlaufen dieselben Nervenbahnen wie später zum Beispiel beim Hören oder Sehen. Vielleicht werden die vielen Stunden, die das Kind im Mutterleib und in den ersten Lebenswochen im aktiven REM-Schlaf verbringt, sinnvoll so genutzt: Das Gehirn wird auf die Wahrnehmung vorbereitet. Das Kind »lernt« im Schlaf.

Ob der REM-Schlaf des Neugeborenen etwas mit Träumen, wie wir sie kennen, zu tun hat? Das ist wohl kaum herauszufinden. Schon zweijährige Kinder berichten aber von Träumen, wenn man sie nach dem REM-Schlaf weckt.

Noch eine Besonderheit gibt es beim neugeborenen Baby: Es fällt nach dem Einschlafen zuerst in den REM-Schlaf. Ab dem dritten Lebensmonat kommt dann immer zuerst der Tiefschlaf. Dieser ist in den ersten Lebenswochen noch nicht ganz ausgereift, erst ab dem sechsten Monat sind alle vier Stufen des Tiefschlafs deutlich zu unterscheiden. Nun gleicht der Baby-Schlaf schon sehr dem Erwachsenen-Schlaf. Das Gehirn ist bei einem sechs Monate alten Baby so weit entwickelt und das Schlafmuster so ausgereift, dass das Kind neun bis zehn, manchmal sogar elf Stunden lang schlafen kann – am Stück! Warum das trotzdem so oft nicht klappt, erfahren Sie im nächsten Abschnitt.

···❯ Das Schlafmuster: Einschlafen, Aufwachen, Weiterschlafen

Bereits in den 80er Jahren hat Professor Ferber (siehe auch Seite 14) den Zusammenhang zwischen dem Ablauf des Schlafs und den so verbreiteten kindlichen Schlafstörungen überzeugend erklärt. Auf seinem Modell beruht die Grafik auf der rechten Seite. Hier können Sie ablesen, wie der Schlaf bei einem mindestens sechs Monate alten Kind, das ein ausgereiftes Schlafmuster hat, in etwa abläuft.

Die Nacht in diesem Beispiel dauert von acht Uhr abends bis ungefähr sechs Uhr morgens. Wenn Ihr Kind früher oder später ins Bett geht, wird das Muster dadurch nur nach vorn oder hinten verschoben, aber nicht verändert.

Sie können in der Grafik auch die beiden auf Seite 28 beschriebenen Schlafarten REM-Schlaf (Traumschlaf) und Nicht-REM-Schlaf (Tiefschlaf) unterscheiden. Den Tiefschlaf haben wir in der Abbildung etwas vereinfacht und nur in zwei Stufen dargestellt: leichter und tiefer Tiefschlaf.

Der tiefe Tiefschlaf findet in den ersten zwei bis drei Stunden nach dem Einschlafen und noch einmal kurz in den frühen Morgenstunden statt. Für den Rest der Nacht wechseln sich Traumschlaf (REM-Schlaf) und leichter Tiefschlaf (Nicht-REM-Schlaf) mehrmals ab. Dazwischen sehen Sie immer wieder Pfeile. Diese Pfeile bedeuten: kurzes Aufwachen. Die ersten beiden Pfeile um 21.30 Uhr und um 22.30 Uhr bedeuten: unvollständiges Erwachen aus dem Tiefschlaf.

In unserem Beispiel wird das Kind gegen 20 Uhr ins Bett gelegt. Es dauert zwischen 5 und 15 Minuten, bis es tief und fest schläft. Einmal im tiefen Tiefschlaf angelangt, sind kleine Kinder nur schwer zu wecken. Die Eltern können den Staubsauger anstellen, das Licht einschalten, das Baby aus dem Auto in sein Bett bringen oder es vielleicht sogar wickeln – es wird trotz allem friedlich weiterschlafen.

Bloß nicht einschlafen!

An dieser Stelle erheben einige Eltern Einspruch: »Unser Kind schläft aber nicht schnell ein! Das dauert manchmal über eine Stunde lang. Es kommt uns vor, als ob es sich dagegen wehren würde, einzuschlafen.« Ist das bei Ihrem Kind auch so? Ein Grund dafür könnte sein, dass Ihr Kind schlicht und einfach noch nicht müde genug ist, wenn Sie es in sein Bettchen legen. Seine »innere Uhr« ist einfach noch nicht auf Schlafen eingestellt. Was Sie in diesem Fall tun können, erfahren Sie ab Seite 47.

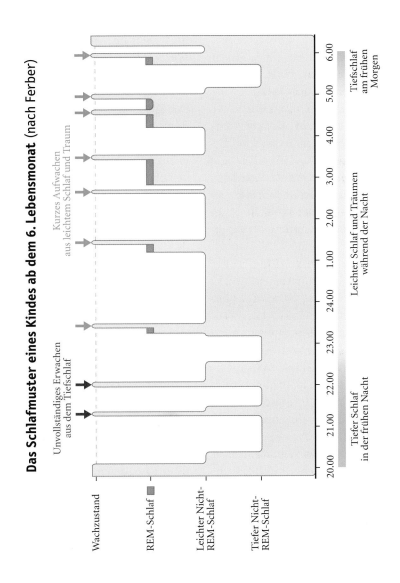

Das Schlafmuster eines Kindes ab dem 6. Lebensmonat (nach Ferber)

Viele Kinder zeigen alle Anzeichen von Müdigkeit, kämpfen aber nach Kräften gegen das Einschlafen. Wie ist das zu erklären? Die betroffenen Eltern haben sich meist angewöhnt, ihrem Kind mit mehr oder weniger aufwändigen Mitteln zum Einschlafen zu verhelfen. Sie legen es nicht wach ins Bett, sondern tun irgendetwas mit ihm, bis es schläft.

> Das Zubettbringen könnte dann so aussehen wie bei Kilian (ein Jahr alt). Er wurde zum Einschlafen herumgetragen. Sobald seine Mutter ihn ins Bett legen wollte, wurde er wieder wach.

> Oder wie bei Marika (neun Monate): Die Mutter blieb abends zwei, drei Stunden lang bei ihr, immer im Blickkontakt, hielt Händchen und nahm sie zwischendurch mehrmals auf den Arm.

Oder es könnte aussehen wie bei den zahlreichen Eltern, die sich mit dem Kind ins Bett legen »müssen«, bis es fest schläft. Wehe, sie versuchen zu früh, sich hinauszuschleichen! Dann ist die oder der Kleine wieder hellwach – und das Spielchen beginnt von neuem.

All diese Beispiele haben eins gemeinsam: Kinder, die sich gegen das Einschlafen wehren, können sich nicht entspannt und schlafbereit in ihr Bett kuscheln. Während sie einschlafen, geschieht etwas mit ihnen. Irgendeine Art von Zuwendung wird ihnen entzogen.

Sie als Eltern würden sich so ähnlich fühlen, wenn Sie mit der Gewissheit ins Bett gingen: »Wenn ich einschlafe, klaut mir jemand die Bettdecke.« Wahrscheinlich würden Sie ziemlich lange wach bleiben, um das zu verhindern. So ähnlich »denkt« auch Ihr Baby: »Wenn ich einschlafe, schleicht sich jemand raus. Da gibt's nur eins: Bloß nicht einschlafen!« Zum Glück reagieren nicht alle Babys so. Bei vielen besiegt das Schlafbedürfnis die Wachsamkeit.

Normale Wachphasen

Zurück zur Grafik auf Seite 31: Irgendwann schläft jedes Kind. Für die meisten Eltern heißt das: »Nun haben wir ungefähr drei Stunden Ruhe!« Die Pfeile in der Grafik, die jeweils »kurzes Aufwachen« bedeuten, erscheinen erst nach 23 Uhr – nämlich dann, wenn die erschöpften Eltern selbst gerade in ihren tiefsten Tiefschlaf gefallen sind.

Manche Kinder weinen jedoch schon nach 20 oder 30 Minuten zum ersten Mal. Das kann bedeuten, dass sie noch gar nicht richtig eingeschlafen waren. Völlig normal ist ein Halb-Wachwerden aus dem Tiefschlaf nach einer bis eineinhalb Stunden. Meist bemerken die

Eltern gar nichts davon. Das Kind dreht sich vielleicht um, kaut, schmatzt, reibt sich die Augen oder murmelt etwas – danach schläft es sofort weiter. Ausgelöst wird dieses »halbe Erwachen« durch eine Veränderung der Gehirnströme: Im EEG erkennt man in diesem Moment, dass sich plötzlich alle Schlafmuster miteinander vermischen. Die ersten beiden Pfeile in der Grafik (21.30 Uhr und 22.30 Uhr) zeigen genau diesen Zustand an. Das Kind scheint gleichzeitig zu schlafen und wach zu sein.

Manche Kinder reagieren nicht so »normal«, sondern eher ungewöhnlich: Sie stehen auf und geistern im Zimmer oder der Wohnung herum – sie schlafwandeln. Andere bekommen regelrechte Schrei-Attacken, die mit Um-sich-Schlagen einhergehen und bis zu 20 Minuten dauern können. Dies nennt man Nachtschreck (Pavor nocturnus). Bei kleinen Kindern ist das keine psychische Störung, sondern es wird verursacht durch eine verzögerte Reifung des Schlafablaufs. Wie Sie damit umgehen können, erfahren Sie ab Seite 139.

In über 90 Prozent der Fälle haben Schlafstörungen aber etwas mit Schlafgewohnheiten zu tun. Für die Entstehung dieser Schlafstörungen ist entscheidend: Was passiert, wenn ein Kind schon drei Stunden lang tief geschlafen hat? In unserem Beispiel tritt die erste REM-Phase (der Traumschlaf) gegen 23 Uhr auf, danach folgen sechs weitere. Sie erkennen es an den Pfeilen in der Grafik: Nach jedem REM-Schlaf wacht ein Kind kurz auf, bevor es zurück in den (nicht mehr ganz so tiefen) Tiefschlaf fällt. Dieses Aufwachen aus dem Traumschlaf, manchmal auch aus dem leichten Schlaf, passiert also ungefähr siebenmal jede Nacht. Besonders oft ab drei Uhr morgens. Viele Eltern erkennen genau die Zeiten wieder, zu denen auch ihr Kind sich regelmäßig meldet.

⋯⋗ Kein Kind schläft wirklich durch

Alle Kinder – wie auch alle Erwachsenen – werden nachts mehrmals wach. Der Unterschied ist: Die einen schlafen schnell wieder ein, ohne dass die Eltern überhaupt etwas bemerken. Die anderen dagegen werden richtig wach und fangen an zu weinen. Mama oder Papa werden aus ihrem Tiefschlaf gerissen, müssen sich aufrappeln und ihren Liebling wieder zum Schlafen bringen. Wenn sie Glück haben, weint ihr Kind nur ein- oder zweimal pro Nacht. Es kann aber auch sein, dass es sich nach jeder Traumphase, also insgesamt siebenmal oder noch öfter, meldet! Mit bösen Träumen hat das nichts zu tun. Es ist ganz normales erlerntes Verhalten.

Aufwachen und schreien

»Warum gerade mein Kind?«

SIE FRAGEN SICH VIELLEICHT: Wozu ist das Aufwachen nach jeder REM-Phase eigentlich gut? Und warum schlafen viele Kinder einfach wieder ein, während meines jedes Mal anfängt zu schreien?

···⫶ »Gefährlicher« Tiefschlaf

Zunächst zur ersten Frage. Man braucht nicht viel Fantasie, um sich vorzustellen, dass in früheren Zeiten die Menschen nachts nicht so geschützt waren wie wir heute. Sie schliefen in einfachen Hütten oder im Freien – umgeben von Gefahren. Die ganze Nacht im Tiefschlaf zu verbringen wäre zu gefährlich gewesen. Aus dem Traumschlaf, besonders am Ende jeder Traumphase, konnten sie sehr leicht geweckt werden und auf jedes verdächtige Geräusch blitzschnell reagieren. Das Schlafmuster mit »Gefahren-Warnsystem« war damit biologisch sinnvoll und fürs Überleben hilfreich. Heute noch können wir nachts nach dem Traumschlaf von verdächtigen Geräuschen oder zum Beispiel von Brandgeruch sofort geweckt werden. Bei jedem Wachwerden prüfen wir, ob alles in Ordnung ist. Genau das tun auch die Babys und Kleinkinder.

Nun zur zweiten Frage: Warum fängt gerade mein Kind nachts mehrmals an zu schreien? Beim nächtlichen Aufwachen »checken« die Kleinen ab: Liege ich richtig? Bekomme ich genug Luft? Ist mir zu warm oder zu kalt? Tut etwas weh? Sie überprüfen also ihre eigenen Körperfunktionen. Und das ist sehr wichtig. Sie »checken« aber auch ab: Ist alles genau so, wie es beim Einschlafen war? Fühlt sich alles normal an?

Aufwachen und weiterschlafen

Nun stellen Sie sich ein Baby vor – vielleicht die sechs Monate alte Vanessa, wie sie abends gegen acht Uhr in ihr Bettchen gelegt wird. Sie ist noch wach. Mami gibt ihr einen Gutenachtkuss und verlässt das Zimmer. Vanessa kuschelt sich in ihre gemütliche Schlafstellung, nimmt ihren Daumen in den Mund und schläft recht schnell ein. Drei Stunden später wird sie zum ersten Mal wach. Sie überprüft, ob alles in Ordnung ist: Richtige Umgebung? Daumen? Alles klar. Alles fühlt sich normal an. Vanessas »Warnsystem« braucht nicht aktiv zu werden. Die Kleine schläft weiter, bevor sie richtig wach wird. Sie kann allein einschlafen – beim Mittagsschlaf ebenso wie abends. Sie kann nachts allein wieder einschlafen – nach jedem Aufwachen.

Aufwachen und schreien

Nun stellen Sie sich ein anderes Baby vor, vielleicht Tim, ebenfalls sechs Monate alt. Er wird wie Vanessa noch voll gestillt. Während Vanessa vom dritten Monat an wach ins Bett gelegt wurde, schläft Tim von Geburt an immer an Mamas Brust ein, tagsüber und abends. Mami setzt sich abends gegen acht mit ihm in den Schaukelstuhl und wiegt ihn sanft. Tim schläft friedlich ein und kann nach 10 bis 15 Minuten behutsam in sein Bettchen gelegt werden.

Wie Vanessa wird er nach drei Stunden zum ersten Mal wach. Körperlich fühlt er sich gut – aber was ist denn das? Wo ist Mamis Wärme und Mamis Duft? Wo ist das sanfte Schaukeln? Und vor allem: Wo ist die Brust? Eben hat er doch noch so schön daran genuckelt! Tim »checkt« wie Vanessa, ob alles in Ordnung ist. Aber in seinem Warnsystem läuten alle Alarmglocken. Nichts ist in Ordnung! Er ist allein in einer Umgebung, die ganz anders ist als beim Einschlafen. Sofort ist Tim hellwach und fängt aus Leibeskräften an zu schreien. Es dauert nicht lange, bis ihn Mami schlaftrunken aus seinem Bettchen holt, sich mit ihm in den Schaukelstuhl setzt

und ihn anlegt. Ja, denkt Tim, so muss sich das anfühlen beim Einschlafen. So ist es in Ordnung. Sanft gewiegt und nicht hungrig, aber genüsslich nuckelt er sich wieder in den Schlaf. Das Spiel wiederholt sich um ein Uhr nachts, um halb drei, halb vier, halb fünf und um fünf. Tim ist ein gesundes, aufgewecktes, freundliches Baby. Die Eltern sind stolz und glücklich, weil er für sein Alter schon so viel gelernt hat. Aber eins hat er noch nicht gelernt: allein einzuschlafen. Tagsüber und abends nicht, und nachts, wenn er wach wird, erst recht nicht. Tim hat stattdessen gelernt: »Wenn ich nachts aufwache, ist nichts so, wie ich es zum Einschlafen gewohnt bin. Ich muss schreien, dann kommt Mami und macht alles so, wie es sein muss. Wenn sie nicht sofort kommt, muss ich länger und lauter schreien. Dann kriege ich immer genau das, was ich gewohnt bin. Und nur das, was ich kenne, kann doch richtig sein. Das ist doch klar.«

So »denkt« Tim. Er hat wirklich schon viel gelernt! Mami hilft ihm jede Nacht mehrmals in den Schlaf. Das Stillen kann ihr niemand abnehmen. Mit ihrer liebevollen Aufopferung, die sie oft an den Rand der Erschöpfung treibt, erreicht sie aber keine Verbesserung. Im Gegenteil: Sie verhindert, dass sich etwas ändert. Tim hat keine Chance zu lernen:

»Ohne Hilfe einzuschlafen ist vollkommen in Ordnung.« Wenn er das lernen würde, könnte auch Tim durchschlafen.

Schlafen nur mit Mamas Hilfe

Ein Baby wie Tim ist noch nicht in der Lage, sich um alles selbst zu kümmern, was ihm fehlt. Das klappt erst ab einem Alter von ungefähr drei Jahren. Deshalb kommen Schlafstörungen bei Kindern bis zu zwei Jahren noch besonders oft vor, bei Kindern über drei Jahren dagegen schon wesentlich seltener.

Es gibt sehr viele Kinder wie den kleinen Tim, die beim Einschlafen abends und nachts auf die Hilfe ihrer Eltern angewiesen sind. Sie haben alle eines gemeinsam: Sie schlafen unter Bedingungen ein, die sie nachts nicht allein wiederherstellen können.

Robert (sechs Monate) zum Beispiel lag zwar allein in seinem Bett, brauchte aber zum Einschlafen seinen Schnuller. Bis zu zehnmal musste seine Mutter jede Nacht aufstehen, um ihm den Schnuller wieder in den Mund zu stecken. Robert konnte ihn noch nicht allein finden.

Auch Till (zehn Monate) schlief allein in seinem Bett, allerdings nur mit Fläschchen. Aus dem einen Fläschchen wurden nach und nach neun, die ihm nachts ans Bett gebracht werden mussten.

Bei Gina (fünfzehn Monate) entwickelte sich das Einschlafen mit dem Fläschchen im Laufe der Zeit zu einem regelmäßigen nächtlichen Verzehr von sage und schreibe einem Liter dickem Milchbrei.

Kilian (zwölf Monate) wurde zum Einschlafen herumgetragen – nachts fast stündlich jeweils bis zu 20 Minuten lang.

Bei Yannick (acht Monate) war der große Gymnastikball angesagt. Abends und nachts mussten Mama oder Papa mehrmals mindestens zehn Minuten lang mit ihm auf dem Ball hopsen, bis er dabei einschlief.

Lena (elf Monate) war noch nie in ihrem Leben allein in ihrem Bettchen eingeschlafen, sondern immer nur in Mamas Bett an der Brust – und die verlangte sie jede Nacht bis zu sechsmal.

Florian (zwölf Monate) hatte ähnliche Einschlafgewohnheiten wie Lena. Zusätzliche »musste« er bis zum Einschlafen mit Mamis Haaren spielen.

Annina (sechs Monate) wollte überhaupt nicht in ihr Bett. Sie wurde tagsüber, abends und nachts in einer speziellen Hängematte in den Schlaf geschaukelt.

Verzweifelt kreativ

Manche Beispiele von kindlichen Einschlafgewohnheiten hören sich für Außenstehende fast komisch an. Sie sprechen aber nur für die Fantasie von verzweifelten Eltern, die nichts unversucht lassen, um ihre lieben Kleinen zum Schlafen zu bringen.

Der Vater der zweijährigen Stefanie zum Beispiel kletterte trotz seiner Größe von einsneunzig regelmäßig zu seiner Tochter ins Gitterbettchen.

Manche Eltern legen sich als »Bettvorleger« vor das Bett ihres Kindes, andere unternehmen nächtliche Autofahrten oder schieben nachts den Kinderwagen durch die Wohnung. Einige stellen den Staubsauger oder den Fernseher an, eine Mutter sogar den Schleudergang der Waschmaschine. Zum Einschlafen legte sie ihr Baby oben drauf.

So aufwändig all diese »Einschlafhilfen« sind – sie bewirken genau das Gegenteil von dem, was sie erreichen sollen. Sie verhindern, dass das Kind lernen kann durchzuschlafen. Der Erfolg ist immer nur kurzfristig. Dabei gehört das Einschlafen eigentlich zu den angeborenen Fähigkeiten, die alle Babys beherrschen, wenn man sie nur lässt.

Allein klappt es besser

Die kleine Vanessa zum Beispiel (siehe Seite 34) kommt nachts allein zurecht. Ihren Daumen findet sie selbst. Da sie schon seit den ersten Lebenswochen wach ins Bett gelegt worden ist, findet sie das ganz normal und fühlt sich dabei wohl. Und was auch immer man gegen das Daumennuckeln einwenden kann: Daumen-Kinder wie Vanessa haben selten Schlafprobleme.

Statt des Daumens kann auch ein Schnuller hilfreich sein, aber nur, wenn das Kind ihn nachts allein findet. Ab dem zweiten Lebensjahr – aus Sicherheitsgründen nicht früher – eignen sich auch ein Schmusetuch oder ein Stofftier als Einschlafhilfe. Beides kann auch nachts leicht ertastet werden.

Allein, ohne die Hilfe der Eltern, schlafen die Kinder also tatsächlich besser. Dafür gibt es jetzt einen Beweis. Die auf Seite 15 erwähnte Schlafstudie hatte ein sehr bemerkenswertes Ergebnis: Etwa die Hälfte der befragten Eltern gab an, ihrem Baby beim Einschlafen zu helfen und es dann schlafend ins Bett zu legen. Diese Babys schliefen schlechter und wurden nachts öfter wach als die Kinder, die von ihren Eltern einfach wach ins Bett gelegt wurden. Aber das war nicht der einzige Unterschied:

Kinder, die zum Einschlafen ihre Eltern brauchten, schliefen **nachts** im Durchschnitt eine ganze Stunde **weniger!**

Hilfe nur in der Nacht

Wie ein Kind abends einschläft, hat in der Regel Auswirkungen auf die Nacht. Aber nicht immer:

> Anna-Lena (ein Jahr) schlief von Geburt an wunderbar allein in ihrem Bettchen ein, trank aber jede Nacht je ein großes Fläschchen Tee und Milch. Sie war besonders klug und wollte beim Aufwachen in der Nacht alles genau so haben wie beim Aufwachen in der vergangenen.

Sie hatte gelernt zu unterscheiden: »Abends allein einschlafen ist leicht. Nachts nach dem Aufwachen wieder allein einschlafen ist schwer. Abends allein im Bett einzuschlafen ist in Ordnung, aber nachts ist es für mich nur mit Fläschchen okay.«

Kindern wie Anna-Lena fällt das Umlernen besonders leicht. Was andere ganz neu lernen müssen, können sie schließlich schon: allein einschlafen.

Vom Vater, der nicht allein einschlafen konnte

Zum Abschluss dieses Kapitels möchten wir Ihnen noch eine kleine, aufschlussreiche Geschichte erzählen, die kürzlich eine Mutter zum Besten gab.

> Ihre Tochter Laura war eigentlich immer ein friedliches, unkompliziertes Kind gewesen. Sie schlief von Geburt an bis zu ihrem vierten Lebensjahr bei ihren Eltern im Bett. Da sie einen sehr ruhigen Schlaf hatte, machte es den Eltern nichts aus. Sie hatten nichts dagegen einzuwenden und unternahmen auch nichts dagegen.

Mit vier Jahren erklärte Laura eines Tages mit ernster Miene: »Ich bin jetzt groß. Ich will von jetzt an allein in meinem Bett schlafen.« Und genau das tat sie auch – sehr zum Leidwesen ihres Vaters. Laura hatte sich vier Jahre lang immer gegen seinen Rücken gekuschelt. An dieses Gefühl hatte er sich so gewöhnt, dass er nun nach seinen nächtlichen Aufwachphasen nicht wieder einschlafen konnte. Sein Warnsystem zeige an: »Etwas ist nicht in Ordnung.« Und was machte Lauras Vater? Er holte seine Tochter wieder zurück ins Elternbett. Erst als sie nach mehreren Versuchen immer noch heftig protestierte, sie sei doch jetzt schon groß, gab er auf und musste wohl oder übel wieder lernen, seine Einschlafgewohnheiten umzustellen und ohne seine Tochter im Rücken einzuschlafen.

DAS WICHTIGSTE AUF EINEN BLICK

Jedes Kind kann lernen, allein in seinem Bett einzuschlafen und nachts durchzuschlafen. Wenn Sie wissen, wie der kindliche Schlaf abläuft, können Sie nachvollziehen, was wir im weiteren Verlauf des Buches empfehlen und warum es wirkt.

···> **Nach sechs Monaten können Babys Tag und Nacht unterscheiden.**
- Ihr Schlafmuster ist ausgereift und läuft schon ähnlich ab wie beim Erwachsenen. Sie können nun etwa zehn Stunden hintereinander schlafen und brauchen während der Nacht nichts mehr zu trinken.

···> **Nächtliches Aufwachen ist normal.**
- Der Schlaf ist kein gleichförmiger Zustand. Mehrmals in der Nacht wechseln sich Tiefschlaf und Traumschlaf ab. Nach jeder Traumphase wird das Kind kurz wach. Das ist ganz normal.

···> **Bestimmte Einschlafgewohnheiten können zu Durchschlafproblemen führen.**
- Viele Kinder können nach dem nächtlichen Wachwerden nicht wieder allein einschlafen. Sie weinen jedes Mal nach ihren Eltern. Diese Kinder sind keineswegs »gestört«, sondern sie sind besonders lernfähig. Sie haben gelernt, dass zum Einschlafen ganz bestimmte Gewohnheiten gehören – nicht nur tagsüber und abends, sondern auch nachts. Allein können sie ihre gewohnten Einschlafbedingungen nicht herstellen. Dafür brauchen sie die Hilfe ihrer Eltern.

···> **Wer allein einschlafen kann, kann auch durchschlafen.**
- Kinder, die regelmäßig allein in ihrem Bettchen einschlafen, haben nur selten Schlafprobleme. Zwar werden auch sie nachts mehrmals wach. Aber sie finden allein wieder in den Schlaf zurück und sind dabei nicht auf die Hilfe ihrer Eltern angewiesen.

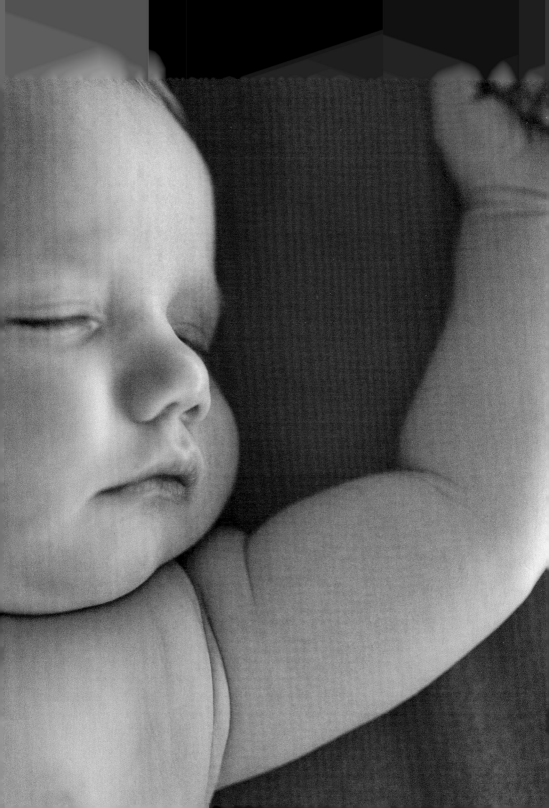

2

So wird Ihr Kind von Anfang an ein »guter Schläfer«

In diesem Kapitel erfahren Sie ...

···▷ was Sie in den ersten sechs Monaten tun können, damit Ihr Kind ein »guter Schläfer« wird

···▷ was Sie über sicheren Babyschlaf wissen sollten

···▷ wie Sie Ihrem Baby helfen können, wenn es sehr viel schreit

···▷ wie Sie vom sechsten Monat an für Ihr Kind ein harmonisches Abendritual gestalten können

···▷ was zum Thema »Schlafen im Elternbett« zu sagen ist

···▷ welche festen Schlafzeiten für Ihr Kind sinnvoll sind

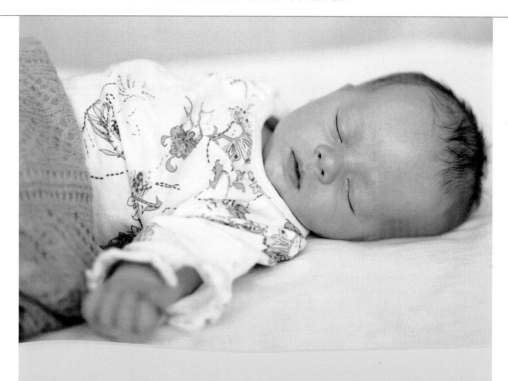

Die ersten
sechs Monate

DIE ERSTEN LEBENSWOCHEN eines Babys sind eine sehr aufregende Zeit für alle, ganz besonders dann, wenn es das erste Kind ist. Viele Eltern sind überwältigt von ihrem Gefühl zu diesem kleinen Wesen, das ihr Leben total verändert hat. Sie wollen es am liebsten gar nicht aus den Augen lassen und Tag und Nacht in seiner Nähe sein.

Zu all diesen positiven Emotionen gesellt sich jedoch bei vielen jungen Eltern das Gefühl, erschöpft und ab und zu regelrecht überfordert zu sein – besonders, wenn ihr Baby sehr viel schreit und die Eltern kaum zur Ruhe, geschweige denn zum Schlafen kommen. Wovon sollen sie sich leiten lassen? Was hilft in einer solchen Situation wirklich?

Vielleicht ist Ihr Baby ja auch noch gar nicht auf der Welt, oder es ist noch sehr klein. Dann haben Sie die Möglichkeit, von Anfang an auf günstige Schlafgewohnheiten Ihres Kindes zu achten und bestimmte Probleme gar nicht erst aufkommen zu lassen.

Die Informationen und Empfehlungen in diesem Kapitel sind für alle Eltern und Kinder wichtig. Ist Ihr Baby schon einige Monate alt, hat es allerdings vielleicht bereits sehr feste, aber leider ungünstige Einschlafgewohnheiten entwickelt. Wenn Sie diese verändern wollen, wird Ihr Kleines wahrscheinlich zunächst einmal kräftig protestieren. Wie Sie Ihr Kind an günstigere Einschlafbedingungen gewöhnen und gleichzeitig auf seine Bedürfnisse Rücksicht nehmen können, das erfahren Sie im dritten Kapitel dieses Buches ab Seite 75.

Auf den nun folgenden Seiten geht es darum, wo, wie und wann Ihr Kind am besten schläft – von seinem ersten Lebenstag an. Sie wissen nun schon einiges darüber, wie ungünstige Schlafgewohnheiten entstehen und wie sie sich auswirken können. Diese Informationen können Sie nutzen und aktiv etwas zur Vorbeugung von Schlafproblemen Ihres Kindes tun.

Es wäre wunderbar, wenn Ihr Kind auf diese Weise von Anfang an ein guter Schläfer würde und Sie die Empfehlungen aus dem dritten Kapitel gar nicht anwenden müssten

Wie schläft Ihr Baby am sichersten?

DIE SICHERHEIT IHRES KINDES steht an erster Stelle, wenn es um das Thema Babyschlaf geht. Hierher gehören Informationen über den plötzlichen Säuglingstod. Sie können mit wenig Aufwand sehr viel zur Vorbeugung tun.

In Deutschland sind 5 von 10 000 Babys im ersten Lebensjahr betroffen: Aus ungeklärter Ursache stirbt ein vorher ganz normal und gesund erscheinendes Baby plötzlich und unerwartet im Schlaf. Es ist die häufigste Todesursache im ersten Lebensjahr. Am größten ist das Risiko im zweiten und dritten Lebensmonat, dann sinkt es deutlich. Ab sechs Monaten ist es nur noch sehr gering, ab einem Jahr besteht kein Risiko mehr.

Die genauen Ursachen für den plötzlichen Säuglingstod liegen noch im Dunkeln. Mögliche Risiken wurden in den letzten Jahren aber immer besser erforscht. Daraus ergeben sich Empfehlungen, die schon viel Gutes bewirkt haben. Bis 1990 starben in Deutschland noch 18 von 10 000 Kindern am plötzlichen Säuglingstod, jedes Jahr waren das über 1000 Todesfälle. Im Jahr 2004 waren es noch 323. Die Niederlande haben durch gezielte Aufklärung die niedrigste Rate der westlichen Welt erreicht: Hier kommt auf mehr als 10 000 Kinder nur ein Fall von plötzlichem Säuglingstod. Wenn wir das in Deutschland auch schaffen, können jedes Jahr 250 Kinder mehr am Leben bleiben.

⸱⸱⸱⸱ Risiken gezielt vermeiden

Was können Sie als Eltern tun, um das Risiko so klein wie möglich zu halten? In Deutschland kam bisher leider keine einheitliche Aufklärungskampagne zustande. In vielen Regionen werden Broschüren herausgegeben, die sich alle ähneln. In den USA gibt es eine Arbeitsgruppe der amerikanischen Akademie der Kinderärzte, die aufgrund der aktuellen Forschungsergebnisse verbindliche Empfehlungen ausspricht, zuletzt im November 2005. Die Empfehlungen sind in dem Kasten auf der nächsten Doppelseite zusammengefasst.

Vielleicht erstaunt es Sie, dass wir dem plötzlichen Säuglingstod so viel Aufmerksamkeit widmen, obwohl er so selten vorkommt. Aber es ist eine furchtbare Tragödie, wenn ein gesundes Kind plötzlich im Schlaf stirbt. Schon für einen einzigen Fall, der verhindert werden kann, lohnt sich jeder Aufwand.

WAS WIRKT

Sicherer Schlaf für Ihr Baby

1. Legen Sie Ihr Baby zum Schlafen auf den Rücken – immer!

Direkt nach der Geburt sollte Ihr Baby an die Rückenlage gewöhnt werden, also am besten schon im Krankenhaus! Früher dachte man, ein Baby könne sich auf dem Rücken leichter verschlucken, aber das stimmt nicht. Legen Sie Ihr Kind zum Schlafen nie auf den Bauch. Vermeiden Sie auch die Seitenlage, von dort kann Ihr Baby leicht auf den Bauch rollen. Nur die Rückenlage ist sicher. In Amerika lautet die Empfehlung schön eingängig »back to sleep«. Es ist egal, wie Sie es sich merken. Aber bitte halten Sie sich daran – immer!

Wenn Ihr Kind wach und unter Ihrer Aufsicht ist, darf und soll es natürlich auch in der Bauchlage liegen und spielen. So kann es seine motorischen Fähigkeiten erproben. Wenn es sich schon selbst vom Rücken auf den Bauch drehen kann, müssen Sie übrigens nicht nachts aufstehen und es zurückdrehen. Geben Sie ihm lieber tagsüber Gelegenheit, das Zurückdrehen auf den Rücken zu üben.

2. Rauchen Sie nicht!

Neben der Bauchlage ist Rauchen das zweite besonders große Risiko. Besonders verhängnisvoll wirkt sich das Rauchen während der Schwangerschaft aus. Aber auch nach der Geburt sollten Sie Ihrem Kind eine rauchfreie Umgebung bieten. Denn wie Sie wissen, ist auch das Passivrauchen gefährlich.

3. Geben Sie Ihrem Baby das richtige Bett

Ihr Baby braucht ein gutes Babybett mit einer festen Matratze und einen Schlafsack – sonst nichts. Kissen, Decken, ein Schaffell, lose Unterlagen, »Nestchen«: All das hat im Babybett nichts zu suchen. Ihr Kind braucht die Luft zum Atmen. Die Atmung kann durch eine zu weiche Unterlage oder durch die genannten Gegenstände beeinträchtigt werden. Auch Kuscheltiere gehören im ersten Lebensjahr aus diesem Grund nicht mit ins Bett! Ihr Kind braucht kein Kopfkissen und nichts zum Zudecken. Ein gut sitzender Schlafsack – je nach Jahreszeit wattiert oder aus dünner Baumwolle – ist immer das Richtige zum Wärmen. Den kann sich Ihr Kind nicht über den Kopf ziehen. An heißen Sommertagen braucht Ihr Kind einfach nur leichte Bekleidung und sonst gar nichts.

4. Achten Sie darauf, dass es im Zimmer nicht zu warm wird

18°C im Zimmer sind warm genug. Ihr Baby braucht im Bett auch im Winter kein Mützchen und keine dicke Decke. Schützen Sie Ihr Kind vor Überhitzung. Überprüfen Sie vorsichtig die Temperatur Ihres Babys zwischen seinen Schulterblättern: Fühlt sich seine Haut warm, aber trocken an, ist alles in Ordnung.

5. Legen Sie Ihr Baby in sein Bettchen, aber schlafen Sie in seiner Nähe

Während der ersten sechs Lebensmonate ist das eigene Babybett im Schlafzimmer der Eltern der sicherste Platz für Ihr Baby. Bis zum Ende seines ersten Lebensjahres sollten Sie auf jeden Fall in Hörweite schlafen. Zum Stillen und Füttern können Sie Ihr Baby natürlich in Ihr Bett holen, aber legen Sie es danach wieder zurück. Vor allem wenn Sie rauchen, übermüdet sind, Medikamente genommen oder Alkohol getrunken haben, sollten Sie Ihr Baby nicht mit in Ihrem Bett schlafen lassen. Wirklich gefährlich ist es, mit dem Kind zusammen auf einem Sofa zu schlafen.

6. Bieten Sie Ihrem Baby zum Schlafen einen Schnuller an

Niemand weiß, warum dies so ist, aber ein Schnuller vermindert das Risiko des plötzlichen Säuglingstods. Achten Sie dabei auf folgende Punkte:

- Wichtiger als der Schnuller ist das Stillen. Wenn anfangs nicht beides zusammen klappt, warten Sie mit dem Schnuller erst einmal einen Monat lang, bis sich das Stillen gut eingespielt hat.
- Wenn Ihr Kind den Schnuller ablehnt, zwingen Sie es auf keinen Fall!
- Geben Sie Ihrem Baby den Schnuller, wenn Sie es tagsüber oder abends hinlegen. Wenn Ihr Kind eingeschlafen ist und ihn verliert, stecken Sie ihm den Schnuller aber nicht wieder in den Mund.

Schlafzeiten und Einschlafgewohnheiten

SIE WISSEN NUN, wie Ihr Baby im ersten Lebensjahr am sichersten schläft. Jetzt geht es darum, wie es am besten und so früh wie möglich zu einem guten Schläfer werden kann.

Im ersten Kapitel haben Sie bereits erfahren, dass ein Neugeborenes Tag und Nacht noch nicht unterscheiden kann. Es wird wach, wenn es Hunger hat, und schläft ein, wenn es satt ist. Hunger hat es noch ziemlich oft, manchmal alle ein bis zwei Stunden. Es dauert vier bis sechs Monate, bis sich seine »innere Uhr« entwickelt hat. Diese lässt zum Beispiel nachts die Körpertemperatur absinken und bewirkt, dass der ganze Organismus auf Schlaf umschaltet. Die biologische Uhr stimmt jedoch nicht genau mit dem 24-Stunden-Rhythmus eines Tages überein. Ohne äußere Einflüsse wie regelmäßige Mahlzeiten, Aufsteh- und Bettzeiten würde unsere innere Uhr erst nach zirka 25 Stunden den nächsten Tag einläuten. Wir haben sozusagen immer eine Stunde »in Reserve«.

Vielleicht haben Sie so etwas im Urlaub selbst schon einmal erlebt: Oft gehen die Kinder Abend für Abend später ins Bett und schlafen dann gegen Ende des Urlaubs morgens ungewohnt lange.

Kinder, auch kleine Säuglinge, brauchen daher eine gewisse Regelmäßigkeit, damit sich ihre innere Uhr auf den normalen Tagesablauf einstellen kann. Schon in den ersten Lebenswochen können Sie Ihrem Baby helfen, den Unterschied zwischen Tag und Nacht kennen zu lernen und zu einem guten Schlafrhythmus zu finden.

⋯⋗ Wickeln und Stillen

Nachts sollten Sie Ihr Kind nur wickeln, wenn es wirklich nass ist. Machen Sie nur so viel Licht wie nötig, und legen Sie Ihr Baby nach dem Stillen oder dem Fläschchen gleich wieder in sein Bett.

Wenig »Action«

Spielzeit sollte von Anfang an nur tagsüber sein. Dann können Sie zum Beispiel das Wickeln über die nötige Routine hinaus ausdehnen, um mit Ihrem Baby zu spielen oder zu schmusen. Schenken Sie ihm vor allem dann viel Aufmerksamkeit, wenn es gerade wach und ausgeschlafen ist. Tragen, schaukeln, Fahren mit dem Kinderwagen – all das kann Ihr Kind tagsüber genießen. In der Nacht ist Ruhe angesagt.

Nächtliches Trinken

Wenn Ihr Baby nachts nach dem Stillen nicht gleich wieder einschlafen will, lassen Sie es ruhig noch ein Weilchen vor sich hin quengeln. Erst wenn es richtig anfängt zu schreien und sich offensichtlich nicht selbst beruhigen kann, versuchen Sie es zu trösten. Sie können Ihr Kind dann streicheln, auf den Arm nehmen, schaukeln, ihm etwas vorsingen oder mit ihm reden.

Es ist aber nicht sinnvoll, einem Baby nachts immer wieder die Brust oder die Flasche zu geben, wenn es schon längst satt ist. Nur in besonderen Fällen sollten Sie Ihr Kind zur Beruhigung stillen oder füttern. Sonst wird es sehr schwierig, die Zeiten zwischen den Mahlzeiten – auch nachts – nach und nach auszudehnen. Manche Babys gewöhnen sich daran, stündlich zur Beruhigung an der Brust zu nuckeln. Wenn Sie Ihr Kind dagegen häufig auf andere Weise beruhigen, kann es lernen, auch ohne Brust einzuschlafen. Dann wird es wahrscheinlich nachts nur noch wach, wenn es wirklich Hunger hat.

Stillen tagsüber

Auch tagsüber ist stündliches Stillen nur bei einigen sehr zarten Neugeborenen sinnvoll oder wenn die Milchproduktion noch nicht so recht in Gang gekommen ist. Ist Ihr Kind gesund und nimmt gut zu, können Sie ihm schon im Alter von etwa vier bis sechs Wochen dreistündige Pausen zwischen den Mahlzeiten zumuten. Während der Nacht können diese Pausen sogar noch etwas länger sein.

⋯⟫ Einen Rhythmus finden

In den ersten Lebenswochen sind die Unterschiede im Schlafbedürfnis der Kinder riesig. Einige Kinder schlafen nur 10 Stunden, andere fast 20 Stunden pro Tag. Legen Sie Ihr Kind einfach immer dann hin, wenn es Ihnen müde erscheint. Wie oft am Tag, lässt sich anfangs noch nicht planen.

Wann ins Bettchen?

Wenn Ihr Baby ungefähr sechs Wochen alt ist, können Sie schon eine gewisse Regelmäßigkeit in den Tagesablauf bringen. Ein gute Möglichkeit ist die »Zwei-Stunden-Regel«: Legen Sie Ihr Kind in sein Bett, nachdem es zwei Stunden wach war, egal wie lange es vorher geschlafen hat.

Wenn Ihr Kind etwa drei Monate alt ist, können Sie es jeden Abend zur gleichen Zeit hinlegen und feste Zeiten für seine Tagesschläfchen einführen. Die meisten Kinder schlafen in diesem Alter noch dreimal im Verlauf des Tages (siehe Grafik Seite 25).

Wecken Sie Ihr Baby, wenn es tagsüber extrem lange schläft. Besonders am späten Nachmittag sollte es ruhig etwas länger wach sein. In dieser Zeit ist es noch munter, und Sie können wunderbar mit ihm spielen.

Wach ins Bett!

Fangen Sie schon früh damit an, Ihr Kind ab und zu wach in sein Bettchen zu legen. Wenn es zwischendurch einmal an Ihrer Brust einschläft, macht das aber gar nichts. Sie brauchen es dann nicht extra wieder zu wecken. Nach sechs bis zwölf Wochen legen Sie Ihr Baby dann ganz regelmäßig wach in sein Bettchen. In diesem Alter kann es am besten lernen, allein ohne Ihre Hilfe einzuschlafen. Sie wissen schon: Sie schenken Ihrem Kind damit die Möglichkeit, nachts durchzuschlafen. Und Sie schenken ihm wertvolle Schlafzeit (siehe Seite 38).

Ihr Baby braucht keine absolute Ruhe, um schlafen zu können. Lassen Sie normale Alltagsgeräusche ruhig zu

Die späte feste Abendmahlzeit

In ihrem Elternratgeber (siehe Quellennachweis Seite 170) empfehlen die Autorinnen Joanne Cuthbertson und Susie Schevill eine Methode, die schon vielen Babys zum frühen Durchschlafen verholfen hat. Sie können schon am dritten Lebenstag, aber natürlich durchaus auch zu einem späteren Zeitpunkt in den ersten Lebenswochen Ihres Kindes damit anfangen.

Das Wichtigste dabei ist die späte feste Abendmahlzeit. Auch wenn Sie Ihr Kind sonst ganz nach Bedarf stillen oder füttern, legen Sie den Zeitpunkt für die letzte Abendmahlzeit fest, am besten kurz bevor Sie selbst schlafen gehen. Jeden Tag um diese Zeit wecken Sie Ihr Baby und füttern es, egal wie lange es bis dahin geschlafen oder wann es zuletzt getrunken hat. Wenn Ihr Baby beim Trinken zu schnell schläfrig wird, wickeln Sie es zwischendurch, dann wird es wieder etwas munterer. Nach einigen Tagen wird es sich angewöhnt haben, zu dieser festen Zeit auch hungrig zu sein und viel zu trinken.

Einige Babys schlafen allerdings so fest, dass das Wecken und Trinken auch nach mehreren Versuchen noch nicht klappen will. Der Versuch lohnt sich immer – aber erzwingen können Sie es nicht. Weitere Tipps dazu finden Sie im Kasten auf der nächsten Seite.

WAS WIRKT

Hinauszögern der nächtlichen Mahlzeiten

Viele Babys schlafen nach der letzten Abendmahlzeit allmählich von sich aus immer länger, bis sie vor Hunger wach werden. Wenn Ihr Baby das nicht von selbst schafft, können Sie ihm dabei helfen. Es sollte fünf bis sieben Wochen alt und gesund sein und mindestens fünf Kilogramm wiegen. Drei bis vier Tage lang kann es dauern, bis der Erfolg sichtbar wird.

- Führen Sie eine feste späte Abendmahlzeit ein (siehe Seite 49).
- Nach der späten Abendmahlzeit sollten Sie Ihr Baby nie wecken. Wenn es weint, warten Sie kurz ab. Geben Sie ihm die Chance, sich selbst zu beruhigen.
- Ideal ist es, wenn der Vater in diesen Tagen den »Nachtdienst« übernimmt. Mamis Brust zu spüren, aber nichts zu bekommen, nehmen Babys meist übel.
- Wenn Ihr Baby nachts wach wird, sollte es nicht sofort gestillt werden. Während Sie abwarten, ist alles erlaubt: Streicheln, Reden, Schnuller geben, Herumtragen, Wickeln, sogar Fernsehen. Wenn Ihr Kind dabei nicht einschläft, können Sie ihm Tee oder Wasser aus dem Fläschchen geben. Erst zuletzt bekommt es Milch aus dem Fläschchen oder Mamis Brust.
- Das nächtliche Herumtragen, das Teefläschchen und die anderen »Hilfen« sollen Ihrem Baby den Übergang erleichtern, aber auf keinen Fall zur Dauer-Gewohnheit werden. Wenn Ihr Baby von 23 Uhr bis 5 oder 6 Uhr schläft – und genau das kann es mit etwas Glück auf diese Art und Weise lernen –, tut das Ihnen beiden gut.
- Zögern Sie die Morgenmahlzeit innerhalb von vier bis fünf Tagen langsam immer etwas weiter hinaus, im besten Fall bis fünf oder sechs Uhr morgens. Ihr Baby wird dann abends besonders viel trinken und nicht mehr so schnell hungrig aufwachen. Sollte nach der vierten Nacht immer noch kein deutlicher Erfolg eingetreten sein, geben Sie das Hinauszögern der Morgenmahlzeit auf. Ihr Kind braucht noch etwas Zeit. Vier Wochen später können Sie es dann noch einmal probieren.

Behutsam eingreifen

In den ersten Lebenswochen spielt die biologische Reifung und Entwicklung der kleinen Säuglinge noch eine besonders große Rolle und beansprucht den kleinen Oragnismus sehr stark. Deshalb lassen sich manche der ganz jungen Babys noch nicht in ein festes Zeitschema einbinden. Die späte feste Abendmahlzeit und das Hinauszögern der nächtlichen Mahlzeiten (siehe Seite 49 und Kasten links) sind aber Empfehlungen, die Sie schon sehr frühzeitig beherzigen können.

Spätestens ab dem dritten bis vierten Lebensmonat ist es jedoch angebracht, Ihr Kind an regelmäßige Mahlzeiten zu gewöhnen und es abends immer zur selben Zeit ins Bett zu bringen.

Vielleicht haben Sie auch dies schon mal gehört oder gelesen: »Wenn Sie immer nach Bedarf stillen oder füttern und Ihr Kind selbst entscheiden lassen, wann es schlafen will, regelt sich alles mit der Zeit von selbst.« Sicherlich stimmt das auch in vielen Fällen. Wenn Sie zu den glücklichen Eltern gehören, die ein »pflegeleichtes«, unkompliziertes Baby haben, brauchen Sie vielleicht überhaupt nicht in seine Gewohnheiten und seinen Tagesrhythmus einzugreifen. Dass das aber nicht in jedem Fall so einfach ist, zeigt zum Beispiel die Geschichte vom kleinen Fabian.

Tag und Nacht vertauscht

Fabian war erst zehn Wochen alt, aber seine Eltern waren schon am Rande der Erschöpfung. Der Kleine schlief nachts fast überhaupt nicht. Wenn er gerade nicht schrie, saß die Mutter mit ihm im Bett und wiegte ihn auf dem Arm. Und wenn er schrie, trug sie ihn durch die Wohnung.

Für kurze Zeit nickte er dann ab und zu ein. Zwischen vier Uhr und sechs Uhr morgens war die Nacht zu Ende. Fabian bekam sein Fläschchen, wurde gewickelt, schließlich gebadet. Das Baden genoss Fabian sehr. Danach schlief er oft fünf Stunden hintereinander – tagsüber von acht Uhr morgens bis ein Uhr Mittags! Nachmittags hatte er noch einmal eine dreistündige Schlafphase. Aber die Nächte waren immer katastrophal. Es musste unbedingt etwas passieren, obwohl Fabian noch so jung und noch nicht wirklich reif für einen festen Rhythmus war.

Zunächst einmal holten die Eltern das Kinderbett aus dem Keller. Fabian sollte nicht mehr wie bisher mit seiner Mutter auf dem Sofa schlafen (sie hatte nicht gewusst, dass das gefährlich für ihren Sohn war), sondern der Junge sollte lernen, allein in seinem eigenen Bettchen einzuschlafen.

Eine weitere Veränderung bot sich sofort an: Da Fabian sich beim Baden offensichtlich entspannte und danach wunderbar schlafen konnte, musste das tägliche Bad vom Vormittag auf den Abend verlegt werden.

Außerdem sollte Fabians Mutter etwas tun, was sie sich bisher nie getraut hatte: Sie musste ihr schlafendes Baby wecken – und wach halten, um es an den normalen Tag-Nacht-Rhythmus zu gewöhnen. Tagsüber sollte Fabian nun regelmäßig nach zwei Stunden Schlaf geweckt werden. Vor seiner letzten Mahlzeit – sie wurde auf 22 Uhr festgelegt – musste Fabian möglichst drei Stunden wach bleiben. In dieser Zeit wurde er in aller Ruhe gebadet und gewickelt.

Das verblüffende Ergebnis übertraf unsere Erwartungen: Fabian schlief sofort in der ersten Nacht von zehn bis sechs Uhr durch. Er bekam ein Fläschchen und schlief noch einmal ein – bis acht Uhr. Der Rhythmus stabilisierte sich innerhalb weniger Tage. Obwohl Fabian tagsüber – wie vorher auch – immer noch sehr viel weinte, ging es der Familie nun wesentlich besser.

Noch mehr Tipps

- Das Baden und Planschen macht nicht alle Babys so schön müde wie Fabian aus unserem Beispiel. Manche Kinder sind gerade nach einem Bad ganz besonders aktiv und quicklebendig. Wenn Sie aber das Gefühl haben, dass auch Ihr Baby nach dem Baden besonders gut schläft und seine Haut nicht zu empfindlich für ein tägliches Bad ist, können Sie das Baden am Abend in das tägliche Einschlafritual aufnehmen.
- Für alle Babys ist es hilfreich, wenn die letzte Stunde vor dem Schlafengehen immer gleich und vorhersehbar abläuft. Ganz besonders die letzten Minuten vor dem Zubettbringen sollten Sie so gestalten, dass Sie und Ihr Baby diese Zeit zusammen genießen können. Nicht nur das Baden bietet sich dafür an. Auch ruhiges Singen, Schmusen, gemeinsames Schaukeln auf dem Schaukelstuhl oder sogar alles nacheinander ist als Einschlafritual möglich.
- Weniger günstig ist das Nuckeln an Mamis Brust oder am Fläschchen. Das sollte mindestens eine halbe Stunde vor dem Zubettbringen passiert sein.

Einschlafen soll Ihr Baby jetzt möglichst nicht mehr mit Ihrer Hilfe, sondern **allein** in seinem Bettchen

»Schrei-Babys«

WÄHREND DER ERSTEN DREI LEBENS-MONATE schreien manche Babys weniger als eine Stunde am Tag, andere dagegen schreien insgesamt mehr als vier Stunden. Das Verhalten der »Schrei-Babys« wurde früher mit den so genannten Drei-Monats-Koliken erklärt. Da das Schreien aber mit solchen Magen-Darm-Störungen wahrscheinlich gar nichts zu tun hat, nennen die Fachleute es heute einfach »exzessives Schreien«. Warum die Babys mit so unterschiedlicher »Schrei-Bereitschaft« auf die Welt kommen und warum mit vier Monaten meist alles wesentlich besser wird, hat man noch nicht herausgefunden. Aber eines ist sicher: Schreien ist für jedes Baby ein normales Verhalten.

⋯⟩ Schreien macht hilflos – oder erfinderisch

Schreien löst bei allen Eltern eine Art Reflex aus, nämlich den dringenden Wunsch, es schnell zu beenden. Den Eltern der »pflegeleichten« Babys wird das recht leicht gelingen. Füttern und ein wenig Herumtragen reichen aus, um die Bedürfnisse dieser Kinder zu stillen. Dann sind sie zufrieden und hören auf zu schreien. Die Eltern erleben sich – zu Recht! – als »gute Eltern«. Wie frustrierend ist dagegen die Erfahrung, ein schreiendes Baby nicht beruhigen zu können – weder mit Füttern noch mit Wickeln oder Herumtragen und schon gar nicht mit Kinderwagen-Fahren. Wie soll man dem Bild der glücklichen jungen Mutter entsprechen, wenn im Kinderwagen selten ein friedlich schlafendes, sondern meist ein brüllendes Baby zu »bewundern« ist und man sich mit gut gemeinten Fragen wie »Was fehlt ihm denn?« und Ratschlägen wie »Sie können es doch nicht einfach schreien lassen!« auseinandersetzen muss?

Zu Hause ist es nicht viel besser. Sogar der genervte Papa oder die Oma schrecken nicht davor zurück, der stillenden Mutter Vorwürfe zu machen: »Was hast du denn gegessen, dass das Kind solche Blähungen hat?« Bei der Mutter kommen Selbstzweifel und Schuldgefühle auf. Wenn das Baby schreit, zieht sich Mamis Magen schon zusammen. Sie hat Angst, ihr Baby wieder nicht beruhigen zu können. Die Beruhigungsversuche werden immer heftiger. Sie setzen immer früher ein. Unvorstellbar, dass das Kleine sich je selbst beruhigen könnte.

Wir wissen, wovon wir reden, haben wir doch selbst recht ausgefallene Methoden angewandt, um unseren schreienden Babys zu helfen. Dr. Morgenroth trug sein Söhnchen Claas ausdauernd auf und ab – im Laufschritt! Ich selbst wanderte mit Tochter Katharina an der Brust durchs Haus, bis mein Rücken streikte. Heute wissen wir: Wir waren gute Eltern, obwohl unsere Kinder so viel geschrien haben. Aber wahrscheinlich haben wir zu viel des Guten getan.

⋯⋗ Hilfreiche Tipps zum Umgang mit »Schrei-Babys«

Die unterschiedlichen Schreizeiten bei Neugeborenen sind anlagebedingt. Die ersten Monate sagen wenig darüber aus, wie sich ein Kind entwickeln wird. Ein Schrei-Baby kann später zum stets gut gelaunten Sonnenschein werden. Das anfangs zufriedene Baby wiederum kann vielleicht im Kleinkindalter recht schwierige Trotzphasen haben. Die folgenden Informationen können Ihnen helfen, mit Ihrem schreienden Baby selbstsicherer umzugehen:

- Magen-Darm-Störungen sind nach neueren wissenschaftlichen Untersuchungen nicht die Ursache für häufiges, lang andauerndes Schreien. Auch die Ernährung der stillenden Mutter spielt nur sehr selten eine Rolle.

- Vielleicht schreit das Baby, weil es eine Unmenge von Reizen und Informationen verarbeiten muss. Meist fallen die längsten Schreizeiten auf den späten Nachmittag oder die frühen Abendstunden. Das könnte bedeuten: Das kleine Baby ist von all den Eindrücken des Tages überwältigt und überfordert. Es reagiert auf diese Weise auf die Reizüberflutung und schirmt sich so gegen weitere Reize ab.

- Beruhigen Sie Ihr Baby nicht um jeden Preis. Dauerndes Stillen, heftiges Schaukeln, Rennen mit dem Kinderwagen, ständig wechselndes Spielzeug – all das überfüttert Ihr Kind nur noch mehr mit Reizen und Eindrücken. Wenn Ihr Baby satt und trocken ist, versuchen Sie es mit Streicheln, sanftem Wiegen und ruhigem, behutsamem Reden oder Summen.

- Manche Babys können sich selbst schlecht beruhigen, weil sie beim Schreien ihren Kopf und ihre Ärmchen zurückwerfen. Das passiert besonders in der Rückenlage, die Sie aus Sicherheitsgründen aber auf jeden Fall beibehalten müssen. Bei ganz kleinen Säuglingen, die noch nicht sechs Wochen alt und sehr unruhig sind, hilft manchmal die »Einwickelmethode«. Lassen Sie sich von Ihrer Hebamme zeigen, wie Sie Ihr Baby fest in ein großes Tuch wickeln können.

- Lässt Ihr Baby sich innerhalb von fünf bis zehn Minuten nicht beruhigen, will es in Ruhe gelassen werden! Also legen Sie es für die nächsten fünf bis zehn Minuten hin und warten ab. Dann machen Sie ihm wieder ein behutsames Angebot: »Kann ich dir helfen?« Ihr Kind lässt Sie spüren, ob es Ihre Hilfe will. Geben Sie ihm die Chance zu lernen, dass es sich selbst beruhigen kann.
- Für Ihr Baby ist es sehr wichtig, dass Sie sich nicht nur dann mit ihm beschäftigen, wenn es schreit. Es würde sonst lernen: »Wenn ich Mamis Zuwendung will, muss ich schreien. Freiwillig spielt sie nicht mit mir.«
- Der Tag wird für Ihr Baby überschaubarer und vorhersehbarer, wenn Schlaf- und Spielzeiten, Spaziergänge und Mahlzeiten regelmäßig stattfinden. Was bei unkomplizierten Kindern nicht erforderlich ist, hilft einem besonders sensiblen Baby, mit seiner Umwelt besser zurechtzukommen.
- Die Verhaltensmöglichkeiten eines noch nicht einmal drei Monate alten Babys sind sehr begrenzt: Es kann noch nicht gezielt über einen längeren Zeitraum etwas beobachten. Es kann noch nicht gezielt seine Händchen zum Mund führen. Es kann seinen Blick und die Bewegungen seiner Hände noch nicht aufeinander abstimmen. Es kann noch nicht spielen. Es kann noch nicht in seiner Babysprache »erzählen«. Was bleibt zur Selbstbeschäftigung übrig? Da bietet sich das Schreien regelrecht an. Zum Glück entwickelt jedes Baby nach und nach immer mehr Fähigkeiten.

> Wenn Ihr Kind älter wird, kann es andere Dinge tun – und braucht nicht mehr so viel zu schreien

Hohes Risiko für Schlafstörungen

»Schrei-Babys« entwickeln besonders oft eine Schlafstörung, die später hartnäckig bestehen bleibt. Ihre Eltern haben sie regelmäßig mit Schaukeln, Tragen, Stillen und Ähnlichem zum Einschlafen gebracht. Das war auch richtig. Allerdings kann man sehr leicht den Zeitpunkt verpassen, von dem an dem Baby nichts mehr fehlt – mit drei, spätestens vier Monaten ist er da. Nun lassen sich die Kleinen viel leichter beruhigen, verlangen aber trotzdem eine »Sonderbehandlung«, weil sie auf liebgewordene Gewohnheiten nicht verzichten wollen. Auch diese Kinder können lernen, allein einzuschlafen und nachts mehrere Stunden ohne Mahlzeit auszukommen.

Allein einschlafen lernen – aber wie?

WENN IHR BABY OHNE IHRE HILFE EINSCHLAFEN KANN, hat es etwas sehr Entscheidendes gelernt: Es braucht Sie nachts nur noch zu wecken, wenn es Hunger hat. Für Ihr Baby haben Gewohnheiten wie Schaukeln, Nuckeln an Brust oder Fäschchen, Kinderwagen-Fahren … dann nichts mit Schlafen zu tun. Ihr Kind schafft den Übergang allein – tagsüber und nachts. Das bedeutet: Sobald es nachts nichts mehr zu trinken braucht, also spätestens mit einem halben Jahr, kann es durchschlafen.

⋯⊁ Ab wann wach ins Bett?

Wenn Sie Ihrem Kind helfen wollen einzuschlafen, müssen Sie irgendwann anfangen, es wach in sein Bett zu legen. Aber wann? Und was tun, wenn Ihr winzig kleines Baby jedes Mal kläglich weint?

Setzen Sie sich auf keinen Fall unter Zeitdruck. Wenn Ihr Neugeborenes friedlich an Ihrer Brust einschläft, genießen Sie es! Sie und Ihr Baby haben viele Wochen Zeit, das Allein-Einschlafen allmählich zur Gewohnheit werden zu lassen. Ob Sie damit beginnen, wenn Ihr Baby fünf oder zehn Wochen alt ist, können Sie selbst am besten entscheiden. Sie werden spüren, wann ein natürlicher Ablauf zu einer nicht mehr ganz sinnvollen Gewohnheit wird.

Es ist am Anfang nicht notwendig oder sinnvoll, Ihr Baby jedes Mal wach in sein Bett zu legen. Sie können einmal am Tag damit beginnen. Suchen Sie eine Zeit aus, in der Ihnen Ihr Baby sehr müde erscheint. Nach und nach lassen Sie es dann zur Gewohnheit werden. Schläft Ihr Kind zwischendurch noch im Auto oder im Kinderwagen oder beim Trinken ein? Das macht nichts. Wichtiger ist: Ihr Baby kann es auch allein. Und schafft es immer öfter.

Was tun, wenn das Baby weint?

Wenn Ihr Kind sich friedlich hinlegen lässt und ihm nach einer Weile einfach die Augen zufallen, werden Sie kein Problem damit haben. Aber wenn es jedes Mal weint und sich nach Leibeskräften gegen das Schlafen wehrt – was dann? Die nun folgenden Tipps ähneln denen für die »Schrei-Babys« (siehe ab Seite 53).

- Zu viel Bewegungsfreiheit erschwert manchmal das Einschlafen. Bei ganz kleinen Säuglingen kann die Einwickelmethode hilfreich sein; fragen Sie

Ihre Hebamme danach. Älteren Babys hilft ein Schlafsack oder ein von Mama getragenes T-Shirt, das dem Kind wie ein Schlafsack angezogen und unten zusammengeknotet wird.

- Einigen Babys hilft der Schnuller. Da er sich positiv auf den sicheren Babyschlaf auswirkt (siehe Seite 46), wird heute allgemein empfohlen, ihn anzubieten. Sie sollten ihn Ihrem Baby beim Einschlafen aber immer nur **einmal** geben. Wenn es jedes Mal weint, sobald es den Schnuller verloren hat, sollte er lieber weggelassen werden.

- Bleiben Sie bei Ihrem Baby. Versuchen Sie zuerst, es in seinem Bettchen zu beruhigen: mit ruhigem Zureden und sanftem Streicheln. Weint es weiter? Nehmen Sie es kurz auf den Arm und wiegen es behutsam, während Sie stehen oder sitzen. Bevor es einschläft, legen Sie es zurück ins Bett. Und wenn es dann wieder weint oder auf Ihrem Arm gar nicht damit aufgehört hat? Dann beginnen Sie wieder von vorn. Ob Sie die ganze Zeit bei Ihrem Baby bleiben oder das Zimmer zwischendurch für einige Minuten verlassen, entscheiden Sie nach Ihrem Gefühl. Auf diese Weise wird Ihr Baby nicht von Ihrer Hilfe abhängig. Sie ist so sanft und behutsam, dass Sie sie nach und nach »ausschleichen« können. Ich mag den Erziehungsgrundsatz »Hilf mir, es selbst zu tun«. Schlafen gehört zu den Dingen, die Ihr Baby selbst tun kann.

DAS WICHTIGSTE AUF EINEN BLICK

···⟩ **Sicherer Babyschlaf**
- Mit wenig Aufwand können Sie sehr wirksam dem plötzlichen Säuglingstod vorbeugen. Besonders wichtig: Legen Sie Ihr Baby im ersten Lebensjahr auf den Rücken – immer!

···⟩ **Gute Gewohnheiten**
- Schon in den ersten Lebenswochen können Sie eine späte feste Abendmahlzeit für Ihr Baby einführen. Sie können ihm helfen, Tag und Nacht zu unterscheiden, und ihm beibringen, allein ohne Ihre Hilfe einzuschlafen.

···⟩ **Hilfe für Schrei-Babys**
- Wenn Ihr kleines Baby tagsüber viel schreit, braucht es einen besonders überschaubaren Tagesablauf, sanfte Beruhigung, aber auch ab und zu für einige Minuten die Chance, sich selbst zu beruhigen.

Vom **sechsten** Monat bis zum **Schulalter**

DIE ERSTEN SECHS MONATE SIND GESCHAFFT. Aus Ihrem winzigen, hilflosen Neugeborenen ist ein rundliches, rosiges Kind geworden, das Sie erkennt und Sie anstrahlen kann und lachen und nach Ihnen greifen – es ist mittlerweile doppelt so schwer, viele Zentimeter länger und um so vieles klüger geworden. Nie wieder in seinem Leben wird es in so kurzer Zeit so viel lernen.

Ist es Ihr erstes Kind? Dann haben auch Sie in den letzten Monaten unglaublich viel gelernt. Auch Ihr Leben hat sich total verändert. Sie haben sich auf Ihr Baby eingestellt und versucht, auf all seine Bedürfnisse einzugehen. Wenn es viel geschrien und wenig geschlafen hat, war das eine sehr anstrengende Zeit für Sie. Ihre Kraftreserven gehen langsam zur Neige. Ihr Kind bleibt lernfähig. Es kann nun gute Gewohnheiten annehmen, die mit Ihren eigenen Bedürfnissen und Ihrem Tagesablauf vereinbar sind.

Abendrituale

SIE WISSEN NUN SCHON, WARUM ES WICHTIG IST, Ihr Baby zum Einschlafen wach in sein Bettchen zu legen. Aber wie können Sie ihm den Übergang in den Schlaf erleichtern, wenn es mindestens sechs Monate alt ist?

⋯⟩ Gute Gewohnheiten

Bei einem Vortrag meldete sich einmal eine Mutter mit folgender Bemerkung zu Wort: »Ich sehe ein, dass mein Kind nicht an der Brust oder mit Fläschchen, nicht auf meinem Arm und möglichst auch nicht mit mir im Bett einschlafen soll. Aber heißt das nicht, dass ich ihm das Einschlafen so richtig ungemütlich machen muss?« Das heißt es natürlich nicht. Im Gegenteil: Es ist besonders wichtig, die letzten Minuten vor dem Schlafengehen harmonisch und gemütlich zu gestalten.

Das gilt auch schon für die ersten Lebensmonate. Spätestens ab dem sechsten Monat sollten Sie ein festes Ritual einführen. Es hilft Ihnen und Ihrem Kind, jeden Abend den Ablauf vorherzusehen und zur Ruhe zu kommen. Wie Sie ein solches Ritual gestalten können, erfahren Sie auf den folgenden Seiten.

Nähe und Geborgenheit

Das intensive abendliche Zusammensein mit Ihnen erleichtert es Ihrem Kind, den letzten Schritt, nämlich das Einschlafen, allein und ohne Ihre Hilfe zu schaffen. Der positive Kontakt in den letzten Minuten vor dem Schlafengehen bestärkt Ihr Kind in dem Gefühl, bei Ihnen Geborgenheit, Sicherheit und Zuwendung zu finden. Dieses Gefühl ist für Ihre Tochter oder Ihren Sohn eine wichtige Voraussetzung, sich als eigenständige Persönlichkeit mit Vertrauen in die eigenen Fähigkeiten zu erleben. »Meine Eltern haben mich lieb. Und sie sind immer für mich da.« Mit dieser inneren Einstellung fällt es dem Kind leicht, sich beruhigt in sein Bettchen zu kuscheln. Es braucht dann nicht mehr ständig Ihre körperliche Nähe als Beweis Ihrer Zuwendung.

Grenzen setzen

Um sich bei Ihnen sicher und geborgen zu fühlen, hilft aber vor allem dem älteren Kind die Erfahrung, dass Sie ihm – auch beim Abendritual – Grenzen setzen und sich nicht zum Spielball seiner kindlichen Launen und Forderungen machen lassen. Ihr Kind wird sofort spüren, wenn Sie beim abendlichen Ins-Bett-Bringen unsicher wirken. Es wird dann versuchen, das Abendritual hinauszuzögern, und zum Beispiel um eine zweite und dritte Geschichte kämpfen. Solche Diskussionen und Machtkämpfe kommen gar nicht erst auf, wenn der Ablauf des Abendrituals immer gleich ist. Dann können Kinder am besten lernen, einen zeitlichen Rahmen – oder die Einschränkung »Immer nur eine Geschichte« – zu akzeptieren.

Routine und Gemütlichkeit

Abendessen, Ausziehen, Waschen oder Baden, Wickeln, Zähneputzen (falls schon Zähne vorhanden sind) – all diese Routine-Tätigkeiten sollten stets in derselben Reihenfolge und jeden Abend etwa zur gleichen Zeit stattfinden.

Nach der Routine kommt der gemütliche Teil des Abendrituals – die letzten Minuten vor dem Schlafengehen, wenn Ihr Kind noch Ihre Aufmerksamkeit und Zuwendung bekommt.

Wie Sie diese Minuten mit Ihrem Kind verbringen, hängt von seinem Alter und von Ihren und seinen Vorlieben ab.

> Beim gemütlichen Abendritual gilt die Regel: Erst zusammen spielen, dann allein einschlafen

Schon ein Baby kann das intensive Zusammensein mit Vater oder Mutter vor dem Zubettbringen genießen. »Spielen« bedeutet in diesem Alter noch eher, das Kind zu liebkosen und dabei mit ihm zu reden oder zu singen. Das muss nicht sehr lange dauern. Dafür spielt das Baden und Wickeln beim Abendritual noch eine wichtige Rolle. Sie können die Zeit dafür etwas ausdehnen, mit Ihrem Kind ausgiebig spielen und schmusen und ihm Ihre ganze Zuneigung zuteil werden lassen.

Geschichten vorlesen und erzählen

Etwa ab einem Jahr werden viele Kinder zugänglich für kleine Bilderbücher, Fingerspiele oder Geschichten. Ab zwei oder drei Jahren ist das Vorlesen sicherlich das beliebteste Abendritual. Bis ins Schulalter hinein genießen viele Kinder die abendliche Geschichte, und für nicht wenige wird sie zum Anstoß, sich später für Bücher und Geschichten zu interessieren und selbst zum begeisterten Leser zu werden.

Geeignet ist alles, was ruhig und dem Alter des Kindes angemessen ist – und Ihnen beiden Spaß macht. Einige Buchtipps finden Sie auf Seite 171. Haarsträubend spannende Geschichten und Kassetten oder wildes Toben stimmen das Kind selbstverständlich weniger gut auf das Schlafen ein.

Im Anhang auf Seite 168 finden Sie eine Einschlafgeschichte zum Vorlesen für Kinder ab etwa drei Jahren. Ganz besonders geeignet ist sie, wenn Ihr Kind jeden Abend »Theater« macht oder wenn es ein kleines Geschwisterkind hat, das mit Ihrer Hilfe gerade nach diesem Buch das Durchschlafen lernt – dann kann Ihr Kind sich in dieser Geschichte wiedererkennen. Es lernt zu verstehen, warum seine Eltern an der Situation etwas ändern wollen.

Wichtiger als die Auswahl der »richtigen« Geschichte ist die Regelmäßigkeit, mit der Sie sich Abend für Abend beim Vorlesen noch einmal besonders intensiv Ihrem Kind widmen. Auch für Väter oder Mütter, die abends erst spät von der Arbeit nach Hause kommen, ist das eine wunderbare Gelegenheit, den Kontakt zu ihrem Kind zu vertiefen.

Ein Schlaflied singen

Ob Sie lieber »Der Mond ist aufgegangen« singen oder »La, le, lu« – ein Schlaflied ist ein sehr schönes, inniges Ritual. Es gibt Ihrem Kind viel Nähe und Geborgenheit. An die Lieder, die Sie ihm an seinem Bettchen vorsingen, wird es sich sein Leben lang erinnern.

Etwas zum Kuscheln

Im ersten Lebensjahr kann ein Schnuller das Einschlafen zusätzlich erleichtern, wenn das Kind ihn selbst finden kann oder ihn nur abends und nicht zusätzlich nachts braucht. Ab dem zweiten Lebensjahr können Sie Ihrem Kind ein »Schmuseobjekt« anbieten: einen Gegenstand, der mit ins Bettchen gegeben wird und fest zum Abendritual gehört. Das kann ein Tuch, eine Mullwindel, eine Puppe, ein Kuscheltier oder ein kleines Kissen sein. In jedem Fall hat Ihr Kind damit ein beruhigendes Stück Zuhause, das es auch auf Reisen mitnehmen kann. Viele Kinder suchen sich selbst so ein »Schmuseobjekt« aus, andere scheinen sich weniger dafür zu interessieren. Die Eltern können aber versuchen, eine Puppe oder ein Kuscheltier mit in das abendliche Spiel oder die Geschichte einzubeziehen und ihr Kind nach und nach daran zu gewöhnen.

Kleines »Extra« für Wenigschläfer

Manche Kinder schlafen erst sehr spät ein. Ab etwa drei Jahren sollten sie lernen, sich in den letzten 30 bis 60 Minuten vor dem Schlafengehen im eigenen Zimmer allein zu beschäftigen – mit Bilderbüchern, Lesen, Kassetten oder ruhigem Spielen. Die Eltern legen aber genau fest, zu welcher Zeit ihr Kind fertig fürs Bett sein soll und wann das Licht ausgemacht wird – und diese Regeln auch durchsetzen: Die gemeinsame Geschichte oder die Beschäftigung im eige-

nen Zimmer bekommt das Kind in voller Länge nur dann, wenn es rechtzeitig gewaschen und fertig für die Nacht ist.

Und Fernsehen?

Frühestens im Kindergartenalter kann eine kurze kindgerechte Sendung eventuell zum Abendritual gehören, wenn sie gemeinsam mit den Eltern angeschaut wird. Zum Allein-Beschäftigen vor dem Einschlafen eignet sich ein Fernseher dagegen überhaupt nicht. Er hat im Zimmer von Kindern, unserer Meinung nach mindestens bis zum 16. Lebensjahr, gar nichts zu suchen.

···▸ Die Umstellung meistern

Erst zusammen spielen, dann allein einschlafen – das klappt natürlich dann am besten, wenn Ihr Kind von Anfang an daran gewöhnt wird. Wenn es bisher zum Einschlafen Ihre Anwesenheit oder ein Fläschchen brauchte und Sie es nun umgewöhnen wollen, nehmen Sie ihm zunächst etwas weg. Das wird Ihrem Kind nicht gefallen.

Aber mit einem harmonischen Abendritual können Sie Ihrem Kind – und sich selbst – die Umstellung erleichtern.

Gutenachtkuss – und Schluss!

Wichtig ist, dass Sie Ihr gemeinsames Abend-Ritual mit einem deutlichen

Schlusspunkt beenden. Beispielsweise können Sie nach der Geschichte das Licht ausmachen und nach dem Gutenachtkuss das Zimmer sofort verlassen. Ihr Kind wird dann genau spüren, dass es mit Verzögerungstaktik bei Ihnen nicht landen kann. Bleiben Sie jedoch unentschlossen im Zimmer und fragen Ihr Kind womöglich »Kann ich jetzt gehen?«, spürt es Ihre Unsicherheit – und seine Macht. Es spürt: »Ich kann hier die Regeln bestimmen. Ich brauche nur zu weinen – und Mami tut, was ich will.«

»Du darfst noch nicht gehen!«

Manchmal fängt es ganz harmlos an. Markus, fünfzehn Monate alt, hatte die Angewohnheit, beim Einschlafen Mutters oder Vaters Anwesenheit in seinem Zimmer zu »brauchen«. Sie mussten einfach nur da sein und neben seinem Bettchen stehen. Für die Eltern war das vollkommen in Ordnung, solange Markus innerhalb weniger Minuten einschlief. Doch seit Markus ein Jahr alt war, dauerte das nach und nach immer länger. In den letzten Wochen hatten Vater oder Mutter täglich abends mindestens eine Stunde neben Markus' Bett verbracht.

Markus hatte gelernt, auf der Hut zu sein, nach dem Motto »Ich darf nicht einschlafen, denn dann schleichen sie sich raus.« Für die Eltern wurde das Abend-Programm zum Albtraum. Spaß machte ihnen das tägliche Warten neben dem Kinderbett keineswegs, es weckte eher Aggressionen. Von einem intensiven positiven Kontakt zu Markus konnte in dieser Stunde nicht die Rede sein. Die Eltern wünschten sich ja nichts sehnlicher, als endlich den Raum verlassen zu können – nicht weil sie ihr Kind nicht liebten, sondern weil sie ihre abendliche Ruhe dringend brauchten. Markus hat diese Ablehnung sicherlich gespürt. Damit hatte er einen Grund mehr, um die Aufmerksamkeit seiner Eltern zu kämpfen und erst recht wach zu bleiben.

Nach dem Beratungsgespräch wurde das Abendritual geändert. Vater oder Mutter nahmen Markus auf den Schoß, betrachteten gemeinsam mit ihm ein Bilderbuch oder kuschelten mit ihm – aber nicht länger als zehn Minuten. Dann brachten sie ihn ins Bett und verließen den Raum. Wie viel kostbarer waren diese wenigen gern miteinander verbrachten Minuten für Markus als vorher die geschlagene Stunde Kampf!

Es dauerte fünf Tage, bis Markus regelmäßig problemlos allein einschlief. Der Preis für die wiederhergestellte Harmonie in der Familie: Markus hat insgesamt 15 Minuten lang geweint.

Zwei Stunden Händchenhalten

Markus ist kein Einzelfall. Bei Mona (neun Monate alt) dauerte es sogar regelmäßig zweieinhalb Stunden, bis sie einschlief. Ihre Mutter war die ganze Zeit bei ihr im Zimmer, in ständigem Blickkontakt. Zwischendurch hielt die Mutter mit ihrem Töchterchen Händchen, nahm es auf den Arm, setzte es wieder zurück ins Bettchen. Dieses Spiel wiederholte sich Abend für Abend mehrmals.

Monas Mutter war tagsüber berufstätig. Sie schien diese zweieinhalb Stunden zu genießen. Ihr fiel es ausgesprochen schwer, sich abends von ihrer Tochter zu trennen. Die Oma, von der Mona tagsüber betreut wurde, war es, die ihre Tochter dazu brachte, zur Schlafberatung zu gehen.

Erst ausgiebig zusammen spielen, aber dann nach dem Gutenachtkuss sofort das Zimmer verlassen – diese Regel wurde bei dem Beratungsgespräch vereinbart. Die Mutter war sehr skeptisch. Sie blieb an der Tür stehen und beobachtete ihre Tochter bis zum Einschlafen durch den Türspalt. Zu ihrer Verblüffung blieb das erwartete Protestgeschrei aus. Nach fünf Tagen dauerte es nur noch wenige Minuten, bis Mona friedlich einschlief – allein klappte es viel besser als vorher mit Mamas Anwesenheit. Sie schlief wesentlich früher ein und bekam nachts eine Stunde Schlaf mehr als vorher.

Nicht alle Kinder akzeptieren eine Änderung des Abendprogramms so problemlos wie Mona und Markus. Was Sie tun können, wenn Ihr Kind heftig protestiert, erfahren Sie ab Seite 76.

Nähe beruhigt

Noch ein abschließender Hinweis: Die Trennung nach dem Gutenachtkuss fällt sehr vielen Kindern leichter, wenn die Tür zu ihrem Zimmer zumindest einen Spalt breit offen bleibt.

> Ein Lichtschein und vertraute Geräusche geben Ihrem Kind das Gefühl von Nähe und Geborgenheit

Wenn es räumlich möglich ist, sollten Sie diesem Wunsch Ihres Kindes ruhig nachgeben. Auch meine jüngste Tochter verlangte bis zum fünften Lebensjahr jeden Abend von mir, die Tür bis zum Anschlag aufzumachen: »Mama – Tür auf, bis es knallt!«

Schlafen im Elternbett?

IN IHRER KINDERGARTENGRUPPE fragte eine befreundete Erzieherin kürzlich die drei- bis sechsjährigen Kinder: »Wer von euch schläft denn schon allein in seinem eigenen Bett?« Von den 25 Kindern meldete sich ein einziges. Alle anderen verbrachten offensichtlich mindestens einen Teil der Nacht im Elternbett. In der auf Seite 15 beschriebenen amerikanischen Studie gaben nur etwa zehn Prozent der Eltern an, ihr Kind (es handelte sich um Kinder vom Baby bis zum Vorschulkind) verbringe den größten Teil der Nacht bei ihnen im Bett. Allerdings wurde fast die Hälfte der Babys im Verlauf der Nacht »umgebettet« – entweder vom Elternbett in ihr eigenes Kinderbettchen oder umgekehrt. Nach einer schwedischen Untersuchung schlafen über 50 Prozent der Dreijährigen und immerhin noch knapp ein Drittel der Neunjährigen nachts bei ihren Eltern im Bett.

Was so verbreitet ist, kann doch nicht falsch sein, könnte man meinen. Interessanterweise schlafen die Kinder im Elternbett aber nicht besser als in ihrem eigenen Bettchen. Im Gegenteil: Sie haben öfter Schlafprobleme. Das gilt auch für die »Bettwechsler«.

Am besten schlafen erwiesenermaßen die Kinder, welche die ganze Nacht allein in ihrem Bett im eigenen Zimmer verbringen. Wie Sie sich erinnern, empfehlen wir trotzdem aus Sicherheitsgründen, das Kind zumindest während der ersten sechs Lebensmonate zwar in seinem eigenen Bett, aber mit im Zimmer der Eltern schlafen zu lassen (siehe Seite 46).

Dass Kinder im Elternbett häufiger schlecht einschlafen und nachts öfter aufwachen, gilt übrigens nur für unseren Kulturkreis. In anderen Kulturen ist das »Familienbett« eine Selbstverständlichkeit. Von Schlafstörungen wird dort bei den betreffenden Kindern selten berichtet.

⋯⋗ Pro und contra

Schlafen im Elternbett – ist das nun richtig oder falsch? So einfach und allgemein lässt sich diese Frage offenbar nicht beantworten. Nur während des ersten Lebensjahres raten Experten wegen des Sicherheitsrisikos davon ab. Danach kann es durchaus gute Gründe für Eltern geben, ihr Kind gelegentlich in ihr Bett zu holen.

Das Elternbett als Trost und Sicherheit

Wann könnte es sinnvoll sein, dass Ihr Kind mit in Ihrem Bett schläft? Hier finden Sie einige Beispiele:

- Ihr Kind hat hohes Fieber. Die Atmung ist flach, der Puls ist schnell. Sie wollen sichergehen, dass Sie jede Veränderung seines Zustandes mitbekommen.
- Ihr Kind hustet stark und bekommt sehr schlecht Luft. Sie wollen sichergehen, dass Ihr Kind im Notfall rechtzeitig Hilfe bekommt. Keine Frage: Ein ernsthaft krankes Kind braucht die Nähe seiner Eltern. Das Kind mit ins Bett zu holen kann die einfachste und sinnvollste Lösung sein.
- Dasselbe gilt für ein Kind, das nachts offensichtlich vor Angst und in Panik weint. Vielleicht hat es einen schlimmen Albtraum gehabt oder kann belastende Ereignisse des Tages nicht verarbeiten. Vorübergehend kann dem Kind die körperliche Nähe der Eltern helfen. Bei länger andauernden Ängsten ist es jedoch wichtig, tagsüber die Ursachen der Ängste herauszufinden und anzugehen. Mehr dazu erfahren Sie ab Seite 147.

Wann Schlafen im Elternbett eher problematisch ist

Für viele Kinder ist das Schlafen im Elternbett allerdings nicht die Ausnahme, sondern die Regel. Kann dies für Kinder und Eltern und für die Beziehungen untereinander gut sein?

In manchen Familien wird aus dieser Situation regelrecht ein »Bäumchenwechsle-dich«-Spiel: Das Kind kommt nachts ins Elternbett. Dort wird es zu eng. Der Vater zieht um und wacht morgens im Kinderbett oder auf dem Sofa auf, die Mutter liegt am Rand des Ehebetts, das Kind liegt quer und nimmt fast die gesamte Breite des Ehebetts ein. Am Morgen sind beide Eltern unausgeschlafen. Dieses Bild kennzeichnet die Situation sehr gut: Ein kleines Kind hat es geschafft, seine erwachsenen Eltern an den Rand zu drängen und ihnen zu zeigen, wer in der Familie die Hauptrolle spielt.

Manchmal holen sich Mütter oder Väter ihre Kinder auch ins Ehebett, weil es ihren eigenen Bedürfnissen entspricht: Manche Ehefrau (und auch mancher Ehemann) ist vielleicht froh, wenn die Gegenwart des Kindes regelmäßige sexuelle Kontakte verhindert. Mancher Erwachsene – ob allein erziehend oder mit einem häufig abwesenden Partner – möchte nicht gern allein schlafen und holt sich deshalb das Kind ins Bett, als Partnerersatz. Versuchen Sie, Ihre eigenen Gründe herauszufinden. Es ist dem Kind gegenüber nicht fair, es für eigene Zwecke zu benutzen!

HAND AUFS HERZ

Ihr Kind schläft im Elternbett – die richtige Lösung?

Ob Ihr Kind mit in Ihrem Bett schlafen sollte oder nicht, dazu gibt es keine festen Regeln. Sie selbst sollten entscheiden, was für Ihre Familie die beste Lösung ist. Die Fragen auf dieser Seite helfen Ihnen dabei.

- Stört es Sie, wenn Ihr Kind neben Ihnen oder zwischen Ihnen und Ihrem Partner liegt?
- Wird Ihr Schlaf durch die Anwesenheit Ihres Kindes gestört?
- Wird Ihr Sexualleben dadurch beeinträchtigt?
- Schläft Ihr Kind schlecht ein oder wacht es nachts mehrmals auf?
- Brauchen Sie nachts die körperliche Nähe Ihres Kindes, weil Sie sich zum Beispiel sonst allein fühlen?
- Hat Ihr Partner zum Thema Kind im Elternbett eine andere Meinung als Sie?
- Wollen Sie oder Ihr Partner an der Situation etwas ändern?

Haben Sie alle Fragen mit Nein beantwortet?
Dann ist es in Ihrem Fall kein Problem, dass Ihr Kind mit im Elternbett schläft. Sie haben sich bewusst dafür entschieden und stehen auch dazu. Es wäre nicht sinnvoll, gegen Ihre Überzeugung etwas an der Situation zu ändern.

Haben Sie eine oder mehrere Fragen mit Ja beantwortet?
Sie haben sich vermutlich nicht bewusst dafür entschieden, dass Ihr Kind mit in Ihrem Bett schläft. Vielleicht hat es sich nach einer Krankheit geweigert, in sein eigenes Bett zurückzukehren, und eine Ausnahme ist so zur Gewohnheit geworden. Stehen Sie zu Ihrer Verantwortung, und setzen Sie Ihrem Kind Grenzen.

Holen Sie sich Ihr Kind ins Bett, weil Sie sich sonst allein fühlen? Das ist nicht fair. Ihr Kind darf kein »Partner-Ersatz« sein. In seinem eigenen Bett schläft es wahrscheinlich besser – und länger.

Zeit für feste Zeiten

AUCH BEI IHREM KIND ist spätestens im Alter von sechs Monaten die biologische Reifung so weit abgeschlossen, dass es nachts nichts mehr zu trinken braucht und etwa zehn Stunden am Stück durchschlafen kann. Was es darüber hinaus noch an Schlaf braucht, holt es sich tagsüber bei seinen regelmäßigen Tagesschläfchen.

⋯⋗ Feste Zeiten als Einschlafhilfe

Ein Kind, das tagsüber und abends immer zur gleichen Zeit schlafen geht, wird nach einigen Wochen genau zu dieser Zeit müde. Seine innere Uhr hat sich darauf eingestellt.

Mahlzeiten zu regelmäßigen Zeiten sind ebenfalls wichtig. Die innere Uhr kann zum Beispiel weniger gut auf »Nachtruhe« umschalten, wenn es mehrmals in der Nacht Unterbrechungen durch Mahlzeiten gibt.

Körpertemperatur, Hormonspiegel, körperliche Aktivität – ein regelmäßiges Auf und Ab verschiedener Körperfunktionen macht unsere innere Uhr aus. Wenn der Tagesablauf nicht mit ihr im Einklang ist, gerät sie aus dem Takt. Schichtarbeiter kennen das: Im Nachtdienst stellen sich zu den Zeiten, wo sie schlafen und essen könnten, weder Müdigkeit noch Hunger ein. Viele haben deshalb gesundheitliche Probleme.

Bei Babys und Kleinkindern kommt es oft zu Schlafstörungen, wenn die Eltern keinen Rhythmus vorgeben und das Kind selbst entscheiden lassen, wann es trinken und schlafen will.

Zu viel Freiheit

Sicher gibt es Kinder, bei denen sich alles von selbst einspielt. Es kann aber auch so ausgehen wie beim kleinen Jan.

> Jan (sechs Monate) war von Anfang an nach Bedarf gestillt worden. Immer noch bekam er sechs- bis neunmal die Brust, davon drei- bis fünfmal nachts. Abends wurde er zwischen 18 und 24 Uhr ins Bett gelegt. Zwischen 6.30 und 10 Uhr morgens war er ausgeschlafen. Jan hielt ein bis drei Mittagsschläfchen. Insgesamt dauerten sie zwischen einer und sechs (!) Stunden.

Jan konnte nachts beim Stillen oft nicht sofort wieder einschlafen – woher sollte er auch um zwei Uhr wissen, dass es

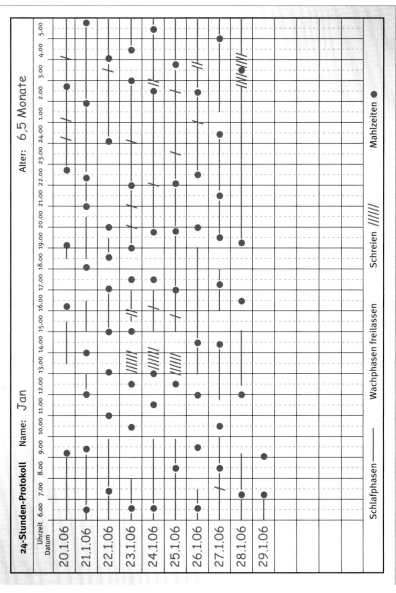

Jans Schlafprotokoll

24-Stunden-Protokoll Name: Jan Alter: 6,5 Monate

Schlafphasen ——— Wachphasen freilassen Schreien ///// Mahlzeiten ●

Nacht war und er nicht etwa gerade einen dreistündigen Mittagsschlaf beendet hatte? Der Mutter wurde dieses Durcheinander erst richtig klar, als sie alle Schlaf-, Still- und Schreizeiten ihres Sohnes zehn Tage lang in ein 24-Stunden-Protokoll eingetragen hatte.

···> Sinnvoller Rhythmus

Wenn auch bei Ihrem Baby der Rhythmus noch nicht regelmäßig ist, sollten Sie einige Tage lang seine Schlaf- und Essenszeiten in ein Schlafprotokoll (siehe Anhang Seite 167) eintragen – mit dem Ziel, ein regelmäßiges Muster zu erreichen.

Jan hatte mehrere Probleme gleichzeitig. Er schlief an der Brust ein, und er bekam nachts mehrere Mahlzeiten. Das musste geändert werden. Zuerst aber brauchte er dringend einen regelmäßigen Rhythmus. Jan schlief relativ viel. Im Durchschnitt waren es tagsüber und nachts insgesamt 14 Stunden. Welche Zeiten sollte seine Mutter ihm am besten anbieten?

Jans Mutter entschied, ihren Sohn abends um 20 Uhr ins Bett zu legen, weil es in etwa seiner durchschnittlichen Einschlafzeit entsprach. Wir vereinbarten, dass sie von dieser Zeit, zumindest in den ersten Wochen, nicht mehr als 30 Minuten abweichen sollte.

Wie für die meisten Babys zwischen sechs und zwölf Monaten erschienen uns auch für Jan zwei Tagesschläfchen sinnvoll. Daraus ergaben sich folgende Schlafzeiten:

- Nachtruhe: 20.00 Uhr bis 6.30 Uhr
- Vormittagsschläfchen: 10.00 Uhr bis etwa 12.00 Uhr
- Nachmittagsschläfchen: 14.30 Uhr bis etwa 16.00 Uhr

Sie als Eltern können bestimmen, welche abendliche Einschlafzeit Ihres Kindes am besten zu Ihrer Familiensituation passt. Möchten Sie, dass Ihr Kind schon um 19 Uhr schläft, verschieben sich alle eben genannten Zeiten, auch die der Tagesschläfchen, um eine Stunde nach vorn. Wollen Sie Ihr Kind dagegen erst um 21 Uhr hinlegen, werden alle Zeiten entsprechend um eine Stunde nach hinten verschoben. Im Kasten auf der rechten Seite finden Sie weitere wichtige Hinweise dazu.

Kurze Nickerchen

Einige Kinder sind ausgesprochene Wenig-Schläfer – ihre Tagesschläfchen sind wesentlich kürzer als die von Jan. Wenn auch Ihr Kind tagsüber trotz fester Zeiten regelmäßig nach 30 Minuten wieder aufwacht, müssen Sie sich leider damit abfinden. Die Unterschiede in der Schlafdauer zwischen den Wenig-

WAS WIRKT

Feste Zeiten für Ihr Kind

Es wird einige Tage lang dauern, bis Ihr Kind die festen, regelmäßigen Zeiten akzeptiert hat. Sie können ihm dabei helfen, wenn Sie die folgenden Empfehlungen beherzigen.

- Die meisten Kinder schlafen nachts etwa zehn Stunden lang. Soll Ihr Baby um 19 Uhr einschlafen, wird es wahrscheinlich schon um 5 Uhr morgens ausgeschlafen sein. Wählen Sie die Bettzeit, die gut zu Ihrer Familiensituation passt. Einige Kinder können nachts auch 11 Stunden schlafen, aber »trainieren« kann man das nicht.

- Vor jedem Tagesschläfchen sollte Ihr Kind möglichst drei Stunden lang wach sein. Wenn Ihr Kind das noch nicht schafft: Auch drei Tagesschläfchen mit vorhergehenden Wachzeiten von jeweils zwei Stunden sind möglich.

- Die längste Wachphase – mindestens vier Stunden – sollte Ihr Kind in jedem Fall abends vor dem Zubettgehen haben.

- Ihr Kind kann sich am besten an den festen Schlaf-Rhythmus gewöhnen, wenn es jedes Mal wach in sein Bettchen gelegt wird.

- Wecken wirkt Wunder! Haben Sie keine Angst, Ihr schlafendes Baby zu wecken, wenn die Schlafzeit beendet ist. Sie helfen ihm damit, sich auf einen festen Rhythmus einzustellen.

- Auch die Mahlzeiten sollten einen festen Platz im Tagesablauf haben. Sie können entscheiden, wann Sie Ihr Kind füttern, ob zum Beispiel vor den Tagesschläfchen oder lieber danach. Wichtig ist nur, dass Sie die einmal gewählte Reihenfolge beibehalten.

Schläfern und den geborenen »Murmeltieren« sind bei den Tagesschläfchen eher noch etwas stärker ausgeprägt als bei der Nachtruhe.

Einschränkungen für die Eltern
Manche Eltern fürchten, dass ein fester zeitlicher Rahmen für ihr Kind sie einengen könnte. Häufig fragen sie: »Und

wenn ich mit meinem Kind gerade zu seiner üblichen Schlaf-Zeit einkaufen muss oder spazieren gehen will?« Tatsächlich ist es notwendig, sich zumindest einige Wochen lang dem Rhythmus des Kindes anzupassen, denn Spaziergänge, Einkäufe und andere Aktivitäten unternehmen Sie besser, wenn Ihr Kind gerade ausgeschlafen ist.

Sicherlich sind die Möglichkeiten für spontane Aktivitäten eingeschränkt, solange Sie auf zwei oder sogar drei Tagesschläfchen Ihres Babys Rücksicht nehmen müssen. Andererseits können Sie sich nach einigen Tagen darauf verlassen, dass Ihr Baby in seinem Bettchen tatsächlich bis zu zwei Stunden lang friedlich schläft. Diese Zeit können Sie für sich selbst einplanen. Viele Mütter, die monatelang nur einen »20-Minuten-im-Auto-oder-Kinderwagen-Schläfer« gewohnt waren und nie richtig Zeit zum Atemholen hatten, empfinden diese neu gewonnene Freizeit als wertvolles Geschenk.

Durch regelmäßige Tagesschläfchen holen viele Babys, die bisher viel zu wenig Schlaf hatten, auf. Manche schlafen ein, zwei Stunden mehr als vorher.

Ausnahmen

Ist nach zwei bis drei Wochen alles gut eingespielt, können Sie den festen Rhythmus ruhig ab und zu einmal unterbrechen, etwa wenn Sie einen wichtigen Termin haben. Auch Wochenendreisen oder ein Kurzurlaub sind dann kein Problem mehr. Innerhalb weniger Tage kann Ihr Kind sich danach wieder an seine üblichen Zeiten gewöhnen.

Besonders Mütter mit einem größeren zweiten Kind beklagen sich: »Vormittags, mittags, nachmittags – immer schläft gerade ein Kind. Ich kann gar nichts unternehmen!« Sie wünschen sich so früh wie möglich einen gemeinsamen Mittagsschlaf ihrer Kinder. In diesem Fall können Sie es schon ab dem neunten Monat mit einem einzigen Mittagsschlaf versuchen.

Nur noch ein Mittagsschlaf

Normalerweise stellen sich die Kleinen irgendwann zwischen 10 und 18 Monaten von zwei Tagesschläfchen auf einen Mittagsschlaf um. Zur gewohnten Zeit am Vormittag sind sie dann nicht mehr richtig müde und schlafen nicht wie gewohnt schnell ein, sondern spielen und erzählen noch in ihrem Bett. Manche protestieren und wollen gar nicht schlafen. Nun ist der richtige Zeitpunkt gekommen, um auf einen einzigen Mittagsschlaf umzustellen.

Sie können Ihr Kind vormittags einfach eine bis eineinhalb Stunden später ins Bett legen – und sind damit bereits in der Mittagszeit angelangt. Das Nachmittagsschläfchen lassen Sie dafür ausfallen. Sie können den Übergang aber auch etwas sanfter gestalten – und zum Beispiel zwei Wochen lang zwischen einem Mittagsschlaf und den zwei gewohnten Schläfchen wechseln.

Je älter Ihr Kind wird, desto besser kann es sich auf eine Zeit einstellen, die Sie ihm vorgeben. Ob der Mittagsschlaf vor dem Mittagessen oder danach, ob er ab 12 Uhr, 13 Uhr oder 14 Uhr stattfindet – Ihr Kind kann sich daran gewöhnen. Sie können selbst entscheiden, welche Zeit für die Bedürfnisse Ihrer Kinder und für Ihre Familie am besten passt. Bedenken Sie aber auf jeden Fall,

was bereits erwähnt wurde: Ihr Kind sollte abends vor dem Zubettgehen mindestens vier Stunden lang wach sein.

Mittagsschlaf ade ...

Im Alter zwischen zwei und fünf Jahren gewöhnen sich fast alle Kinder den regelmäßigen Mittagsschlaf ab, die meisten im dritten oder vierten Lebensjahr. Manche Kinder würden allerdings gern noch mittags schlafen. Das hieße aber, dass sie dafür bis 22 Uhr abends noch hellwach wären. Viele Eltern ziehen es dann sicher vor, den Mittagsschlaf zugunsten einer verlängerten Nachtruhe zu streichen.

DAS WICHTIGSTE AUF EINEN BLICK

···⟩ **Abendrituale**
- Vom sechsten Monat an gilt: Erst zusammen spielen, dann allein einschlafen. Ein dem Alter des Kindes angemessenes harmonisches Abendritual erleichtert das Einschlafen und tut der Beziehung zwischen Eltern und Kind gut.

···⟩ **Kind im Elternbett**
- Bei Kindern ab einem Jahr kann es sinnvoll sein, dass das Kind mit im Elternbett schläft – aber nur unter ganz bestimmten Voraussetzungen.

···⟩ **Feste Zeiten**
- ... sind für Ihr Kind ab dem sechsten Lebensmonat in jedem Fall die beste Einschlafhilfe.

···⟩ **Wachphasen vor dem Schlafengehen**
- Bis zum Ende des ersten Lebensjahres brauchen die meisten Kinder noch einen Vormittagsschlaf und einen Nachmittagsschlaf. Die längste Wachphase Ihres Kindes sollte immer die Zeit abends vor dem Zubettgehen sein.

3

Wie »schlechte Schläfer« schlafen lernen

In diesem Kapitel erfahren Sie ...

···› was Sie tun können, wenn Ihr Kind sehr früh aufwacht oder sehr spät
einschläft

···› was hilft, wenn Ihr Kind nachts lange Zeit wach ist

···› welche Einschlafgewohnheiten besonders ungünstig sind und meist
zu Schlafproblemen führen

···› wie Ihr Kind lernen kann, allein einzuschlafen und gut durchzuschlafen

···› wie Sie Ihrem Kind nächtliche Mahlzeiten abgewöhnen können

···› was Sie tun können, wenn Ihr Kind nicht in seinem Bett bleibt

Wie aus **schlechten** Schlafzeiten **gute** Schlafzeiten werden

MIT SPÄTESTENS SECHS MONATEN hat ein Baby einen ausgereiften Schlafrhythmus. Es kann nun Tag und Nacht unterscheiden. Leider klappt das nicht immer. Aus unregelmäßigen oder unangemessenen Schlafzeiten kann sich eine echte Schlafstörung entwickeln.

Schläft Ihr Kind zur »falschen« Zeit – wacht es also zum Beispiel jeden Morgen um halb fünf auf oder bekommen Sie es erst gegen Mitternacht ins Bett? Braucht es regelmäßig länger als eine halbe Stunde zum Einschlafen? Ist es mehrmals pro Woche nachts eine oder mehrere Stunden lang wach? Wenn etwas davon auf Ihr Kind zutrifft, tickt seine »innere Uhr« offenbar nicht richtig. Helfen Sie ihm, einen besseren Schlafrhythmus zu finden. Was Sie genau tun können, erfahren Sie in diesem Abschnitt.

HAND AUFS HERZ

Welche Schlafzeiten hat Ihr Kind?

- Wann bringen Sie Ihr Kind ins Bett?
- Wann steht Ihr Kind morgens auf?
- Wie viele Stunden verbringt es nachts im Bett?
- Wie lange braucht Ihr Kind zum Einschlafen? (Zeit zwischen Zubettbringen und Einschlafen)
- Wie lange ist Ihr Kind nachts insgesamt wach?
- Wie viele Stunden schläft Ihr Kind nachts (reine Schlafzeit)?
- Von wann bis wann hält Ihr Kind sein(e) Tagesschläfchen?
- Wie viele Stunden schläft Ihr Kind tagsüber?
- Wie viele Stunden Schlaf kommen tags und nachts zusammen?

Wenn es mehr Zeit im Bett verbringt als es schläft, hat Ihr Kind einen gestörten Schlafrhythmus. Was Sie tun können, lesen Sie auf den folgenden Seiten.

Mein Kind wacht zu früh auf

WIE BEI ERWACHSENEN gibt es tatsächlich auch bei Babys und Kleinkindern die Tendenz zum »Frühaufsteher«. Das extrem frühe Aufwachen ist unter den Kleinen weit verbreitet – sehr oft zum Leidwesen der Eltern, die am liebsten noch ein, zwei Stündchen gemütlich weiterschlummern würden. Sie brauchen sich aber nicht ohne weiteres damit abzufinden, wenn Ihr kleiner Sprössling regelmäßig morgens um fünf Uhr aufstehen will.

⋯⟩ Was können Eltern von kleinen Frühaufstehern tun?

* Geht Ihr Kind abends schon um sieben Uhr oder noch früher ins Bett? Dann ist es um fünf Uhr früh wahrscheinlich ausgeschlafen. Bringen Sie es später ins Bett. Nach spätestens zwei Wochen wird es entsprechend länger schlafen. Das Verschieben der Schlafzeiten klappt fast immer. Sehr wahrscheinlich haben Sie diese Erfahrung mit Ihrem Kind sogar auch schon gemacht. Die Testfrage lautet: Schafft Ihr Kind die Umstellung von der Sommerzeit auf die Winterzeit innerhalb weniger Tage? Für die meisten Kinder ist das kein Problem. Nur wenn Ihr Kind hartnäckig über Wochen weiterhin früh aufwacht, obwohl es eine Stunde später hingelegt wird, ist es ein unverbesserlicher Frühaufsteher. Dann müssen Sie sich leider damit abfinden und können Ihr Kind abends wieder etwas früher hinlegen, damit es zumindest ein bisschen mehr Schlaf bekommt.

* Geben Sie Ihrem Kind gegen fünf Uhr morgens in der Regel sofort etwas zu trinken? Möglicherweise hat es in diesem Fall »gelernten Hunger«. Es hat sich einfach daran gewöhnt, zu dieser Zeit gefüttert zu werden. Nehmen Sie Ihr Kind wie gewohnt aus dem Bett, aber zögern Sie die erste Mahlzeit noch etwas hinaus.

* Hält Ihr Kind bereits gegen neun Uhr oder noch früher sein erstes Tagesschläfchen? Auch das kann ein Grund für das frühe Aufwachen sein. Manche Kinder holen am frühen Vormittag den Schlaf nach, den sie nachts versäumt haben. In dem Fall zögern Sie den Vormittagsschlaf hinaus. Hält Ihr Kind noch zwei Tagesschläfchen? Wenn Ihr Kind bis sieben Uhr schlafen soll, legen Sie es nicht vor 9.30 Uhr

hin. Schläft Ihr Kind nur einmal am Tag, warten Sie mit dem Hinlegen bis zur Mittagszeit.

- Muss in Ihrer Familie jemand sehr früh aufstehen? Auch wenn Sie laute Geräusche vermeiden, wird Ihr Kind vielleicht von der morgendlichen Betriebsamkeit geweckt. Es reagiert zu dieser Tageszeit wesentlich stärker auf Geräusche als zu Beginn der Nachtruhe, denn in den frühen Morgenstunden kommen mehrmals ganz normale Wachphasen vor (siehe Grafik Seite 31). Das Schlafbedürfnis Ihres Kindes ist nun zum größten Teil gestillt. Daher fällt es ihm natürlich schwer, nach dem Erwachen wieder einzuschlafen. Sie können dies nicht erzwingen. Stehen Sie notfalls lieber mit Ihrem Kind auf oder holen Sie es vor dem gemeinsamen Aufstehen noch zu einem gemütlichen »Schmusestündchen« in Ihr Bett.

Kleine Veränderung – große Wirkung

Ein typischer Frühaufsteher war der kleine Sebastian, zehn Monate alt. Um fünf Uhr morgens war er hellwach. Zwischen acht und neun Uhr schlief er wieder ein, bis etwa zehn Uhr Vormittags. Um zwölf machte er seinen Mittagsschlaf. Abends wurde er gegen sieben Uhr in sein Bettchen gebracht und schlief ein.

Bei Sebastian war auffällig, dass er sein erstes Schläfchen schon sehr früh hielt, dicht gefolgt von seinem Mittagsschlaf. Kein Zweifel: Das frühe Wachwerden am Morgen hatte etwas mit dem ausgiebigen Vormittagsschlaf zu tun!

Da die Mutter Sebastians Zwölf-Uhr-Schlaf – zusammen mit dem Mittagsschlaf seines großen Bruders – unbedingt beibehalten wollte, hatte sie nur eine Möglichkeit: ihren Sohn vormittags länger wach zu halten und ihn nur noch mittags schlafen zu lassen. Zusätzlich verlegte sie Sebastians abendliche Bettzeit um eine Stunde nach hinten, auf acht Uhr.

In den ersten Tagen nach dieser Umstellung war Sebastian sehr quengelig und übermüdet, danach hatte er sich daran gewöhnt. Es dauerte zwei Wochen, bis er morgens regelmäßig länger schlief und gut gelaunt mit einem Mittagsschlaf auskam.

Nicht alle **Frühaufsteher** lassen sich »bekehren«. Aber es ist einen **Versuch** wert. Vielleicht kann auch Ihr Kind ein **Stündchen** länger schlafen

Mein Kind schläft zu spät ein

ES GIBT UNTER DEN KINDERN NICHT NUR FRÜHAUFSTEHER, sondern auch kleine »Nachteulen«: Die Eltern sind hundemüde und würden gern ins Bett gehen, aber ihr Baby ist bis Mitternacht topfit.

⋯⋗ Wie Sie Ihrem Kind helfen können, früher einzuschlafen

Ein häufiger Grund für Probleme mit dem Einschlafen ist ein zu spätes Tagesschläfchen, wie die Geschichte auf der rechten Seite zeigt. Oft ist die innere Uhr noch gar nicht auf Schlafen eingestellt, wenn die Kinder abends zu einer »normalen« Zeit ins Bett gebracht werden.

- Wecken Sie Ihr Kind morgens, damit es abends nicht zu lange wach bleibt.
- Vermeiden Sie späte Tagesschläfchen! Vier Stunden lang sollte Ihr Kind mindestens wach sein, bevor Sie es abends ins Bett legen.
- Halten Sie ein harmonisches Abendritual ein. Es sollte immer zur gleichen Zeit stattfinden und nicht zu lange dauern (siehe Seite 59).

Verbringt Ihr Kind abends viel Zeit in seinem Bett, ohne zu schlafen, weil die »innere Uhr« noch gar nicht auf Schlafen eingestellt ist? Da hilft nur eins:

- Streichen Sie diese Zeit, die Ihr Kind bisher schlaflos im Bett verbracht hat. Legen Sie es erst zu der Uhrzeit hin, zu der es normalerweise einschläft. Das kann eine ganze Stunde später sein als bisher oder sogar noch mehr. Wichtig ist: Morgens darf Ihr Kind nicht länger schlafen als bisher. Wecken Sie es zur gewohnten Zeit! Nach einigen Tagen können Sie vorsichtig versuchen, die Bettzeit wieder nach vorn zu verlegen.

Anfangsschwierigkeiten

Sie konnten im Fragebogen auf Seite 77 angeben, wie lange Ihr Kind zum Einschlafen braucht. Dauert dies im Durchschnitt länger als eine halbe Stunde, sollten Sie handeln. Wenn Sie die oben genannten Ratschläge beherzigen, müssen Sie allerdings leider erst einmal eine Verschlechterung in Kauf nehmen: Ihr Kind wird während der ersten Nächte trotzdem nicht sofort einschlafen können und wird tagsüber entsprechend müde und quengelig sein. Aber auf Dauer siegt die Müdigkeit. Nach und nach wird die innere Uhr Ihres Kindes »Schlafen« anzeigen, sobald Sie es in sein Bett legen.

Eine kleine »Nachteule«

Barbara, sechs Monate alt, schlief immer erst zwischen zehn Uhr abends und Mitternacht ein. Die Mutter gab ihr zwar regelmäßige Mahlzeiten, überließ ihr aber die Entscheidung über die Schlafzeiten. Barbara entschied: »Ich will dreimal am Tag ein Schläfchen halten, eins davon nach 18 Uhr, und abends will ich am liebsten überhaupt nicht ins Bett. Dafür schlafe ich morgens manchmal gern so richtig aus.«

Nach der Beratung führte die Mutter feste Schlafregeln ein: Barbara wurde wach in ihr Bett gelegt, und zwar zu folgenden Zeiten: 22 bis 8.30 Uhr; 11.30 bis 13 Uhr und 16 bis 17 Uhr. Anfangs musste Barbara am Ende fast jeder Schlafzeit geweckt werden.

Täglich wurden nun alle Zeiten um zehn Minuten nach vorn geschoben, bis die von der Mutter angestrebte abendliche Einschlafzeit 21 Uhr erreicht war. Das dauerte etwa eine Woche. Barbara nahm die neuen Zeiten dankbar an.

Einschlafprobleme bei Kindern ab drei Jahren

»Ich kann nicht einschlafen!« Bei Kindergartenkindern und Schulkindern ist dieser Satz äußerst beliebt. Oft gibt es jeden Abend Theater: Das Kind kommt immer wieder aus seinem Zimmer, ständig fällt ihm etwas Neues ein, die Eltern werden sauer und schimpfen, es gibt Tränen – am Ende sind alle fix und fertig. Wenn sich das jeweils eine Stunde oder länger hinzieht, können Sie sicher sein: Die innere Uhr Ihres Kindes ist noch nicht auf Schlafen eingestellt. Es will anscheinend nicht schlafen – das macht Sie wütend. Aber in Wirklichkeit kann es noch gar nicht schlafen.

Statt Ihrer Vorwürfe braucht Ihr Kind Ihre Hilfe

Reden Sie mit Ihrem Kind: »Jeden Abend gibt es Theater, weil du nicht einschlafen kannst. Ich glaube, du kannst gar nichts dafür. Ich mache dir einen Vorschlag: Du darfst eine Stunde länger aufbleiben. Du musst aber in deinem Zimmer bleiben, kannst lesen oder Kassetten hören – aber nicht rauskommen. Wenn die Stunde um ist, sage ich dir gute Nacht und mache das Licht aus.« Wenn das Einschlafen so in friedliche Bahnen gelenkt wurde, können Sie die Einschlafzeit wieder etwas vorverlegen. Wenn Ihr Kind ein »Wenigschläfer« ist, wird es bei der späten Einschlafzeit bleiben. Aber Sie haben eine Lösung gefunden, mit der alle gut leben können.

Mein Kind ist nachts stundenlang wach

WIRD IHR KIND fast jede Nacht einmal oder mehrmals wach und bleibt dann lange auf? Braucht es manchmal eine Stunde oder länger, bis es wieder einschlafen kann, selbst wenn Sie versuchen, ihm zu helfen? Im Fragebogen auf Seite 77 konnten Sie seine durchschnittliche nächtliche Wachzeit angeben. Oft sind die Wachzeiten sehr unterschiedlich: Mal liegt ein Kind zwei Stunden wach, mal schläft es durch. Bilden Sie von einigen Tagen den Mittelwert. Kommt unter dem Strich mehr als eine Stunde pro Nacht heraus? Dann tickt die innere Uhr Ihres Kindes nicht richtig. Sie zeigt nicht die ganze Nacht über »Schlafen« an, sondern ist oft mitten in der Nacht eine Stunde oder länger auf Wachsein eingestellt. Der Schlaf-Wach-Rhythmus Ihres Kindes ist gestört.

···⫶ Die Nacht ist zum Schlafen da

Der Fragebogen auf Seite 77 bringt es an den Tag: Vergleichen Sie, wie viele Stunden Ihr Kind nachts im Bett verbringt – und wie viele Stunden davon es wirklich schläft. Verbringt Ihr Kind mehr Stunden im Bett, als es tatsächlich schläft? Im Kasten unten finden Sie eine sehr einfache Regel, mit der Sie dieses Problem lösen können.

WAS WIRKT

Bettzeit = Schlafzeit

Ihr Kind weiß noch nicht, dass die Nacht zum Schlafen da ist? Damit es das lernen kann, darf es nur genau so viel Zeit in seinem Bett verbringen, wie es tatsächlich schläft. Kinder mit einem gestörten Schlafrhythmus schlafen oft sehr unregelmäßig. Mit Hilfe des Fragebogens auf Seite 77 oder des Schlafprotokolls auf Seite 167 können Sie die durchschnittliche Schlafdauer nachts abschätzen. Das ist die Schlafzeit Ihres Kindes. Legen Sie Ihr Kind so spät hin und wecken Sie es so früh auf, dass seine Bettzeit nicht länger ist als seine Schlafzeit.

Jede Nacht drei Stunden wach

Auch bei der knapp zweijährigen Jenny war der Schlafrhythmus gestört. Sie war drei Monate zu früh zur Welt gekommen und anfangs ein richtiges »Schrei-Baby«. Ungestörte Nächte hatte es noch nie gegeben. Nachts war sie immer längere Zeit wach.

Zwar verbrachte Jenny die Zeit von acht Uhr abends bis neun Uhr morgens in ihrem Bettchen, wachte aber fast jede Nacht gegen ein Uhr auf und hielt mehrere Stunden durch: Eine Stunde lang spielte und erzählte sie friedlich vor sich hin. Dann fing sie an zu schreien, bekam Tee, durfte kurz auf den Arm. Dann ging es wieder von vorn los. Erst nach zwei, drei Stunden konnte Jenny wieder einschlafen. Mittags schlief sie dagegen drei Stunden lang ohne Probleme.

Jenny bekam genug Schlaf: nachts zehn bis elf Stunden, tagsüber drei Stunden. Aber sie lag fast jede Nacht drei Stunden wach im Bett – zwischen ein Uhr und vier Uhr! Die Lösung war denkbar einfach. Die Eltern mussten nur eines tun: ihre Tochter wecken, und zwar morgens um 7.30 Uhr und mittags nach zwei Stunden Mittagsschlaf. Jenny schlief nach wenigen Tagen durch. Da sie ihren versäumten Schlaf nun nicht mehr morgens oder mittags nachholen

konnte, hatte sie bald begriffen: Die Nacht ist zum Schlafen da!

Jennys Bettzeit nachts war drei Stunden länger als die tatsächliche Schlafzeit. Hinzu kam der dreistündige Mittagsschlaf. Auf Tag und Nacht verteilt schlief Jenny insgesamt 13 Stunden. Und länger durfte sie auf keinen Fall im Bett bleiben! Also wurde sie nachts nach elf Stunden, mittags nach zwei Stunden geweckt. Erst als die Bettzeit nicht mehr länger war als die Schlafzeit, konnte Jennys innere Uhr sich nachts richtig auf Schlafen einstellen.

Kinder wie Jenny verbringen viel mehr Zeit im Bett, als sie schlafen können. Sie liegen wach und kriegen die Kurve zum Einschlafen einfach nicht. Wer kennt dieses Gefühl nicht? Wahrscheinlich ist es für kleine Kinder genauso unangenehm wie für uns Erwachsene.

Vielen Eltern fällt es schwer, ihr friedlich schlummerndes Kind morgens aus dem Schlaf zu holen, obwohl es in der Nacht wenig geschlafen hat. Hinzu kommen die eigene Müdigkeit und der sehr verständliche Wunsch, endlich einmal auszuschlafen, besonders am Wochenende. Wenn der Schlafrhythmus jedoch gestört ist wie bei Jenny, gibt es kein wirkungsvolleres Mittel als Wecken. Nach wenigen Wochen ist der neue Rhythmus meist gefestigt, und das Wecken erübrigt sich von selbst.

»Mittagsschlaf« am Abend

Nadine war zweieinhalb Jahre alt, als ihre Eltern sehr verzweifelt zur Beratung kamen. Sie hatten schon mehrere Ärzte aufgesucht und ihrer Tochter, ohne Erfolg, sogar Medikamente gegeben. Nadines innere Uhr spielte wirklich verrückt. Sie ließ sich gegen acht Uhr abends problemlos ins Bett bringen und schlief rasch ein – allerdings war sie eine Stunde später wieder wach und wollte aufstehen. Das tat sie auch, denn alle Versuche ihrer Eltern, sie wieder zum Einschlafen zu bringen, scheiterten.

Nadine kam zu ihren Eltern ins Wohnzimmer, spielte und naschte ein paar Chips. Sie beschäftigte sich meist friedlich, während der Fernseher lief. Abwechselnd mussten Vater oder Mutter todmüde mit ihr vor dem Fernseher ausharren, denn Nadine hatte Stehvermögen. Gegen halb eins schlief sie endlich ein – auf der Couch. Dann ließ sie sich ins Bett tragen und schlief durch, bis acht oder neun Uhr morgens. Ab und zu hielt sie noch einen einstündigen Mittagsschlaf gegen zwölf Uhr.

Was lief hier schief? Nadine war jede Nacht dreieinhalb Stunden lang wach, nachdem sie doch schon eine Stunde gut geschlafen hatte. Das Problem war: Das erste Stück Schlaf von acht bis neun Uhr abends war in Wirklichkeit eine Art nachgeholter Mittagsschlaf! Während der nächsten dreieinhalb Stunden war Nadines innere Uhr auf »Hellwach« gestellt. Die Nacht fing für sie erst nach Mitternacht an – Nadine hatte sich zur »Nachteule« entwickelt. Als das erkannt war, mussten die Eltern nur noch Nadines nächtlichen »Mittagsschlaf« auf eine angemessene Zeit vorverlegen und die »Bettzeit = Schlafzeit«-Regel (siehe Seite 82) anwenden.

Nadine hatte im Durchschnitt tagsüber und nachts zusammen zehneinhalb Stunden geschlafen. Ihr »spätes Mittagsschläfchen« wurde gestrichen, stattdessen wurde sie mittags regelmäßig hingelegt und nach eineinhalb Stunden geweckt. Anfangs durfte Nadine erst um Mitternacht ins Bett. Nach spätestens neun Stunden wurde sie geweckt. Schrittweise wurde die Bettzeit vorverlegt. Nach vier Tagen waren die Eltern schon bei 21.30 Uhr angelangt. Es gab keinerlei Protest: Nadine schlief durch. Der neue Rhythmus tat ihrem Schlaf gut: Nach einigen Wochen schlief sie eine, manchmal sogar zwei Stunden länger als vorher.

Bei Nadine war der gestörte Schlafrhythmus schwerer zu erkennen als bei Jenny (siehe Seite 83), denn Nadine schlief insgesamt eher wenig.

Nach unseren Erfahrungen fällt es Eltern von »Wenigschläfern« oft wesentlich schwerer, unsere »Bettzeit = Schlafzeit«-Regel anzuwenden.

Gute Nacht, kleiner Wenigschläfer!

Der zweijährige Yannick war auch so ein Fall – ein richtiges Wenig-Schlaf-Wunderkind. Mehr als acht oder neun Stunden pro Nacht waren für ihn einfach nicht drin. Tagsüber schlief Yannick schon lange gar nicht mehr.

»Bettzeit = Schlafzeit« – das hieß für Yannick: Er durfte wirklich nur achteinhalb Stunden im Bett verbringen. Die Eltern verständigten sich auf die Zeit von 22 Uhr bis 6.30 Uhr. Das war für sie zunächst nicht leicht zu akzeptieren. Aber es war immer noch besser, als sich zwischen Mitternacht und drei bis vier Uhr morgens mit einem quicklebendigen, hellwachen Yannick auseinanderzusetzen. Immerhin schlief Yannick nun durch – und seine erleichterten Eltern auch.

DAS WICHTIGSTE AUF EINEN BLICK

Wenn Ihr Kind früh aufwacht, spät einschläft oder die Nacht zum Tag macht, werden Sie als Eltern stark belastet. Sie müssen sich nicht einfach damit abfinden. Sie können etwas tun.

···⟩ **Wird Ihr Kind morgens zu früh wach?**
- Verschieben Sie die Schlafzeiten nach hinten.
- Achten Sie darauf, dass Ihr Kind vor seinem ersten Tagesschläfchen lange genug wach bleibt.

···⟩ **Schläft Ihr Kind abends sehr spät ein?**
- Wecken Sie es morgens früher.
- Vermeiden Sie ein spätes Tagesschläfchen Ihres Kindes.

···⟩ **Ist Ihr Kind nachts längere Zeit wach?**
- Beachten Sie die Regel »Bettzeit = Schlafzeit«.

Wie **Kinder** lernen **durchzuschlafen**

SIE HABEN BISHER ERFAHREN, wie der kindliche Schlaf abläuft. Ihnen ist klar: Ihr Kind sollte möglichst zu regelmäßigen Zeiten allein in seinem Bettchen einschlafen. Dann wird es auch nachts wieder allein in den Schlaf finden.

Ihr Baby ist schon älter als sechs Monate und hat ungünstige Schlafgewohnheiten? Dann hatten Sie vielleicht selbst schon das Gefühl, irgendetwas »falsch zu machen«. Nun fragen Sie sich seit einiger Zeit: »Wie soll ich das denn jetzt noch ändern? Mein Kind wach in sein Bettchen legen und allein lassen? Das lässt es sich nicht gefallen! Was soll ich denn tun, wenn es schreit?«

Unsere Empfehlung lautet keinesfalls: »Einfach schreien lassen.« Sie brauchen aber auch nicht abzuwarten, bis sich das Problem von selbst löst. Denn das kann Jahre dauern. Vielmehr können Sie selbst aktiv werden und etwas tun, was Ihrem Kind zunächst nicht sehr gefallen wird: Sie werden ihm weiterhin alles geben, was es braucht – aber nicht mehr alles, was es will. Für manche Babys (und auch für manche Eltern!) mag das eine ganz neue Erfahrung sein. So gut wie alle Kinder werden daraufhin erst einmal protestieren. Aber:

Fast **alle Kinder** können innerhalb von zwei Tagen bis zwei Wochen ihre **Gewohnheiten** ändern und lernen durchzuschlafen, wenn ihre Eltern sie dabei systematisch und konsequent **unterstützen**

···≯ **Warum klappt das nicht von selbst?**

Im ersten Kapitel wurde ab Seite 30 bereits gezeigt: Wenn Kinder beim Einschlafen auf die Hilfe ihrer Eltern angewiesen sind, können zwei Probleme daraus entstehen. Entweder ist das Kind »auf der Hut«, das Einschlafen verzögert sich. Oder es wird nachts wach mit dem Gefühl, dass ihm etwas fehlt. Allein kann es nicht wieder einschlafen. Daher schreit es so lange, bis seine Eltern die gewohnten Einschlafbedingungen wiederherstellen. Das kann sich mehrmals pro Nacht wiederholen. Das Kind schläft nie oder fast nie durch.

Diese Probleme müssen nicht in jedem Fall entstehen. Wenn Ihr Baby abends nur mit Ihrer Hilfe einschläft, sich aber problemlos in sein Bettchen legen lässt und bis zum nächsten Morgen friedlich schlummert, besteht natürlich kein Grund, etwas zu ändern. Wenn es aber nur mit Ihrer Hilfe in den Schlaf findet und nachts mehrmals aufwacht, können Sie davon ausgehen: Ihre »Hilfe« verursacht in Wirklichkeit die Schlafstörung.

HAND AUFS HERZ

Welche Einschlafgewohnheiten hat Ihr Kind?

···> **Welche Einschlafhilfen braucht Ihr Kind von Ihnen?**

- ◯ Schnuller
- ◯ Herumtragen
- ◯ Brust
- ◯ Fläschchen
- ◯ Anwesenheit von Mutter/Vater im Bett
- ◯ Anwesenheit von Mutter/Vater im Zimmer
- ◯ Schaukeln
- ◯ Umherfahren im Auto oder im Kinderwagen
- ◯ Sonstiges: _____

···> **Wann braucht Ihr Kind diese Einschlafhilfen?**

- ◯ Tagsüber
- ◯ Abends
- ◯ Nachts

···> **Wie oft wird Ihr Kind nachts wach und weint?**

_____

Wenn Ihr Kind nachts nicht durchschläft und eine oder mehrere der oben genannten Einschlafhilfen von Ihnen braucht, ist der Zusammenhang klar: Die Einschlafhilfen haben etwas mit den Schlafproblemen Ihres Kindes zu tun. Die beliebtesten ungünstigen Einschlafgewohnheiten stellen wir Ihnen auf den folgenden Seiten genauer vor.

Ungünstige Einschlafgewohnheiten

ES GIBT EINE ERSTAUNLICHE VIELFALT an wenig hilfreichen Einschlafgewohnheiten. Meist »brauchen« die Kinder bei jedem Einschlafen dieselben Hilfsmittel, also tagsüber, abends und nachts. Einige Kinder kommen allerdings bei den Tagesschläfchen allein zurecht, aber abends und nachts nicht. Andere finden tagsüber und abends allein in den Schlaf, »brauchen« ihre Eltern aber regelmäßig beim Wiedereinschlafen in der Nacht. Wir stellen Ihnen hier die beliebtesten ungünstigen Einschlafhilfen vor. Wie Sie das Problem jeweils lösen können, erfahren Sie ab Seite 94.

⋯⋗ Mit Schnuller

Als Roberts Mutter zu uns kam, war sie ziemlich verzweifelt. Auf unserem Stress-Thermometer (siehe Seite 18) kreuzte sie den höchstmöglichen Wert an: »fertig mit den Nerven, kann nicht mehr, total erschöpft.«

Jede Stunde aufstehen

Robert war sechs Monate alt und tagsüber ein »Bilderbuchbaby«. Insgesamt schlief er 15 Stunden und lag damit über dem Durchschnitt. Er schlief sogar allein in seinem Bettchen ein. Trotzdem war Roberts Schlaf gestört. Das hatte etwas mit seinem Schnuller zu tun. Nachts wachte Robert fünf- bis zehnmal auf und schrie, ab etwa 0.30 Uhr stündlich. Die Mutter musste jedes Mal aufstehen, in Roberts Zimmer gehen und ihm den Schnuller geben.

Robert schlief meist schnell wieder ein. Seine Mami allerdings lag oft noch lange wach in ihrem Bett. Das Gefühl »Gleich ist es wieder so weit, und er schreit« verursachte bei ihr Stress und hinderte sie am Einschlafen.

Obwohl Robert allein in seinem Bett einschlief, brauchte er nachts regelmäßig die Hilfe seiner Mutter. Den Schnuller konnte er noch nicht wieder finden, und ohne Schnuller gelang ihm das Wiedereinschlafen nicht.

Robert ging es gut, aber seine Mutter wusste vor Müdigkeit kaum noch, wie sie den Tag überstehen sollte. Hier war die einzige ungünstige Einschlafbedingung der Schnuller. Die einzige notwendige Veränderung war deshalb, ihn wegzulassen.

Sie erinnern sich, dass aus Sicherheitsgründen zunächst empfohlen wird, Babys einen Schnuller anzubieten (siehe Seite 46). Allerdings soll er nur einmal abends und nicht nachts mehrfach gegeben werden. Oft geht das auch gut. Wenn Ihr Kind aber den Schnuller regelmäßig verliert und ihn als Einschlafhilfe auch nach dem nächtlichen Wachwerden braucht, gilt diese Empfehlung nicht mehr. Kluge Kinder wie Robert lernen den Zusammenhang zwischen Schnuller und Einschlafen – und dann richtet der Schnuller mehr Schaden an, als er nützt.

Um ihrem Sohn das Lernen zu erleichtern, ließ Roberts Mutter den Schnuller von heute auf morgen ganz weg und ging nach dem auf Seite 96 beschriebenen Plan zum Schlafenlernen vor. Auf das gewohnheitsmäßige Saugen zu verzichten fällt Kindern viel leichter, als Eltern sich vorstellen können. Wie »süchtig« die Kleinen auch danach zu sein scheinen, nach drei Tagen ist der Schnuller in den meisten Fällen vergessen. Auch der kleine Robert beruhigte sich nach kurzem Aufweinen rasch selbst und schlief bereits nach drei Tagen durch.

Manchmal empfehlen wir auch, den Schnuller nicht einfach wegzulassen, sondern lieber noch eine Weile durchzuhalten. Das Problem mit dem Schnuller ist nämlich in dem Moment gelöst, in dem das Kind ihn ohne die Hilfe seiner Eltern benutzen kann. Ab diesem Zeitpunkt ist das Saugen am Schnuller eine günstige Einschlafbedingung. Sie können die Selbstständigkeit Ihres Kindes fördern, indem Sie ihm den Schnuller schon frühzeitig nicht mehr in den Mund stecken, sondern in die Hand geben. Ab etwa neun Monaten kann Ihr Kind dann allein damit klarkommen, auch nachts.

Weil Schnuller oft aus dem Bett fallen, können Sie mehrere hineinlegen (aber nicht übertreiben, Ihr Kind braucht auch noch Platz zum Schlafen!).

Einige Kinder entdecken ihren Daumen, wenn sie keinen Schnuller mehr bekommen. Das scheint jedoch eher die Ausnahme als die Regel zu sein.

Der **Schnuller** allein ist in den meisten Fällen **nicht das Problem**. Er wird aber oft zusätzlich zu anderen **»Hilfen«** gegeben, von denen sich das Kind noch **schwerer trennen** kann

⋯⟩ Auf dem Arm

Eine sehr anspruchsvolle Einschlafhilfe ist das Herumtragen. Es aufzugeben und sich an die neue Situation »Allein im eigenen Bett« zu gewöhnen fällt den Kindern besonders schwer. Sie haben mehr zu verlieren als Robert, bei dem es »nur« um den Schnuller ging.

Stundenlange Nachtwanderung

Felix (dreizehn Monate) hatte vom fünften bis zum achten Lebensmonat durchgeschlafen, doch dann wurde er sehr krank. In dieser Zeit gewöhnten sich seine Eltern an, ihn zum Einschlafen herumzutragen. Auch als Felix längst wieder gesund war, wollte er darauf nicht mehr verzichten. Abends dauerte das Herumtragen 10 bis 15, mittags 30 Minuten. Schlimmer war für die Eltern, dass Felix sie auch nachts fünf- bis sechsmal brauchte: Vor jedem Übergang vom Traumschlaf in den Tiefschlaf wurde er wach und weinte.

Auf dem Arm schlief Felix wieder ein, durfte aber nicht zu früh zurück in sein Bett gelegt werden. Offensichtlich war er »auf der Hut«. So nahm das nächtliche Herumtragen bis zu zwei Stunden in Anspruch. Die Eltern wechselten sich nachts ab. Ihre Geduld war bewundernswert, aber beide waren mit ihren Kräften am Ende. Sie mussten Felix nun zumuten, sich von der Einschlafhilfe »Auf dem Arm getragen werden« wieder zu entwöhnen. Das war für alle Beteiligten nicht ganz leicht. Aber es klappte. Nach einigen schwierigen Tagen ging es allen besser.

⋯⟩ Körperkontakt

Noch eine weitere Einschlafhilfe, die zu einer ungünstigen Gewohnheit führen kann, ist sehr verbreitet: Mutter oder Vater legen sich zum Kind ins Bett, bis es eingeschlafen ist, oder sie holen das Kind ins Elternbett. Andere legen oder setzen sich vor das Kinderbett und halten Händchen. All diese Kinder scheinen die Anwesenheit der Eltern und den Körperkontakt zu brauchen, um einschlafen zu können.

Für die Eltern ist das meist nicht ganz so anstrengend wie das Herumtragen. Manche Kinder haben allerdings noch Sonderwünsche: Sie wollen mit Mamas Haaren spielen, am Rücken gestreichelt werden oder mit dem Finger an Mamas Mund oder Papas Bart entlangstreichen. Oft werden diese Kinder ins Elternbett geholt, wenn sie nachts aufwachen. Ältere Kinder kommen selbst und krabbeln hinein – sofern sie nicht ohnehin die ganze Nacht dort verbringen.

Mama auf der Matratze

Die zwei Jahre alte Larissa hatte immer gut geschlafen, aber plötzlich schien sie etwas gegen ihr Bettchen zu haben und fing an zu schreien, wenn sie nur in seine Nähe kam. Die Mutter vermutete, dass ihre Tochter Angst vor dem Alleinsein hatte, und legte eine zusätzliche Matratze ins Kinderzimmer. Auf diese Matratze legte sich Larissas Mutter nun seitdem jeden Abend neben ihre Tochter und hielt Händchen.

Nach etwa 20 Minuten konnte sie das Zimmer verlassen. Nachts rief Larissa in der Regel noch zweimal nach ihrer Mami. Mami kam, legte sich zu ihr auf die Matratze und wartete, bis Larissa wieder fest schlief.

Larissas Mutter war hochschwanger und wollte die Situation unbedingt ändern. Da Larissa längst keine Angst mehr hatte und die Anwesenheit ihrer Mutter nicht wirklich brauchte, war die Umgewöhnung kein großes Problem.

Nächtliches Gewichtheben

Wie hartnäckig eine solche Gewohnheit aber auch bestehen bleiben kann, bewies uns der acht Jahre alte Matthias. Seine Mutter legte sich immer noch Abend für Abend zu ihm ins Bett, bis er einschlief. Demzufolge kam er auch nachts regelmäßig zu seinen Eltern. Wenn er Glück hatte, merkten sie nichts, und er schlief in ihrem Bett weiter. Wurde seine Mutter aber wach, fühlte sie sich gestört und trug (!) ihn in sein Bett zurück.

Obwohl Matthias' Einschlafgewohnheit schon so lange bestand, war die Umgewöhnung denkbar einfach: Die Mutter teilte ihrem Sohn entschlossen ihre Entscheidung mit, sich zukünftig nicht mehr zu ihm zu legen. Zu ihrer Überraschung akzeptierte Matthias das. Seitdem kommt er nachts nicht mehr ins Elternbett.

⋯⋗ Brust oder Fläschchen

Sehr häufig reicht Kindern die bloße Anwesenheit der Eltern oder der beruhigende Körperkontakt zu ihnen nicht. Sie verlangen zusätzlich noch Mamas Brust oder das Fläschchen. Entweder trinken diese Kinder nachts fläschchenweise Tee, Saft oder Milch, oder sie werden mehrmals pro Nacht gestillt. Wenn auch Ihr Kind sich angewöhnt hat, nachts hungrig oder durstig zu sein, sollten Sie es allmählich von seinen nächtlichen Mahlzeiten entwöhnen. Wie Sie dabei vorgehen können, erfahren Sie ab Seite 111.

Schnuller-Ersatz

Manche Kinder nuckeln nachts nur an Mamas Brust, statt kräftiger zu saugen, oder sie trinken immer nur einige Schlückchen aus der Flasche. In diesem Fall ist, ähnlich wie beim Schnuller, das Saugen die eigentliche Einschlafhilfe. Hunger oder Durst spielen dagegen kaum eine Rolle.

So war es auch bei der sechs Monate alten Sonja. Sie schlief abends an Mamis Brust ein, wurde nachts zweimal wach und wieder gestillt. Sonja trank nicht viel, sondern nuckelte sich jedes Mal schnell wieder in den Schlaf. Die Kleine musste lernen, abends und nachts allein einzuschlafen – ohne an der Brust zu nuckeln.

⋯❖ Weitere Einschlafhilfen

Herumfahren im Kinderwagen oder mit dem Auto, Schaukeln in einer Wiege oder Hängematte, singen, immer wieder die Spieluhr aufziehen – die Liste der Einschlafhilfen ließe sich noch lange fortsetzen. Die Kreativität der Eltern kennt keine Grenzen – die Toleranz einiger sehr verzweifelter Mütter und Väter ebenfalls nicht. Machmal werden sogar mehrere Einschlafhilfen hintereinander verlangt.

Spiele ohne Grenzen

Besonders beeindruckt hat mich, was die Mutter des zweijährigen Jonathan sich gefallen ließ: Sie legte sich jeden Mittag und jeden Abend zu ihm ins Bett, aber das genügte ihrem Sohn nicht. Er riss ihr ein Haar nach dem anderen aus, bis er einschlief.

Ron (sieben Monate) wurde nachts viermal gestillt. Und anschließend musste Mami ihn im Arm halten und singen. Papis Gesang gefiel Ron dagegen weniger. Er musste seinen Sohn stattdessen herumtragen.

Vera (zehn Monate) hatte sich an eine ganze Kette von Einschlafhilfen gewöhnt: Sie trank abends im Bett ein Fläschchen. Danach gab Mami ihr den Schnuller und hielt ihr eine Hand über die Augen, bis sie einschlief. Nachts wiederholte sich das sieben- bis neunmal. Jedes Mal trank Vera ein wenig aus dem Fläschchen. Gegen ein Uhr mussten die Eltern sie dann in ihr Bett holen.

Einschlafgewohnheiten ändern

ALLE AUF DEN VORIGEN SEITEN beschriebenen Einschlafgewohnheiten können in Kombination miteinander auftreten. Alle sind ungünstige Einschlafbedingungen, und alle können auf ähnliche Weise verändert werden. Zunächst kommen wir aber noch auf eine sehr verbreitete Methode zu sprechen, von der wir Ihnen ausdrücklich abraten möchten.

⋯⋗ Einfach schreien lassen?

Der häufigste Rat, den betroffene Eltern von wohlmeinenden Bekannten und Großmüttern zu hören bekommen, ist: »Lass das Kind doch einfach mal schreien.« Auch manche Kinderärzte geben diesen Rat. Sie können ihn durchaus auch begründen: Wenn die Eltern ihrem Kind nachts nach jedem Schreien Zuwendung geben, belohnen sie damit das Schreien. Das Kind lernt: »Wenn ich schreie, bekomme ich meinen Willen.« Bleibt die gewohnte Zuwendung dagegen konsequent aus, macht das Kind die Erfahrung, dass sein Schreien offenbar nicht mehr dazu geeignet ist, das erwünschte Ziel zu erreichen. Es stellt das Schreien ein.

In früheren Generationen war dieses Vorgehen der Normalfall. Tatsächlich wurde noch vor 40, 50 Jahren kaum von Schlafstörungen bei Babys und Kleinkindern berichtet. Auch neuere Untersuchungen belegen, dass die Methode »Schreienlassen« Wirkung zeigt.

> Wir **empfehlen** die Methode »Schreienlassen« jedoch aus guten Gründen **nicht**

Wirksam kann das Schreienlassen nur sein, wenn es mehrere Tage konsequent durchgehalten wird. Das bedeutet: Das Kind schreit jedes Mal so lange, bis es einschläft. Es liegt unter Umständen stundenlang schreiend allein in seinem Bettchen und versteht die Welt nicht mehr. Bisher war es gewohnt, dass sich bei jedem Schreien rasch jemand seiner angenommen hat. Es ist nicht auszuschließen, dass das Kind sich nun verlassen fühlt und erhebliche Trennungsangst durchlebt. Dies sollte man ihm nicht zumuten.

Die Wenigsten halten durch

In ihrer Verzweiflung haben viele Eltern das »Schreienlassen« probiert und bald wieder aufgegeben, weil es nicht geklappt hat. Die allermeisten Eltern können ihrem schreienden Baby nicht lange tatenlos zuhören. Nach 10, 20, 30 oder gar 60 langen Minuten – in denen sich nicht selten ein Ehestreit über den Sinn dieser Methode abspielt – halten sie es nicht mehr aus. Einer geht hin, nimmt das Kind auf den Arm und gibt ihm genau die Einschlafhilfe, die man ihm eigentlich abgewöhnen wollte: Schnuller, Fläschchen, was auch immer.

So lernt das **Kind** keinesfalls, allein **einzuschlafen**. **Stattdessen** lernt es, lange zu **schreien**

Nach langem Schreien bekommt es genau das, was er erreichen wollte. Daraus lernt es: Langes Schreien lohnt sich. Versuchen es die Eltern auf diese Weise mehrmals und steigern dabei ihre Wartezeit, können sich die Schreizeiten im Extremfall auf zwei bis drei Stunden ausdehnen. Eltern und Kind geht es dann nicht besser, sondern schlechter als vorher.

⋯⋯▹ Allein einschlafen und gut durchschlafen – aber wie?

Unseren Plan zum Schlafenlernen finden Sie auf den folgenden Seiten. Er beruht auf der Methode, die Prof. Richard Ferber (siehe Seite 13) in seinem Kinder-Schlafzentrum in Boston/ USA entwickelt hat.

Ganz ohne Protest ändern die Kinder auch bei dieser Methode nur selten ihre Gewohnheiten. Ihr Schreien hält sich jedoch in Grenzen, denn sie werden nicht einfach allein gelassen.

Stattdessen bekommen sie regelmäßig Zuwendung von ihren Eltern. Sie bekommen aber nicht genau das, was sie mit ihrem Schreien erreichen wollen. Und deshalb stellen sie das Schreien bald ein. Die meisten Eltern schaffen es dadurch, den Plan auch tatsächlich konsequent einzuhalten. Dann – und nur dann – ist es sehr wahrscheinlich, dass ihr Kind schon nach einigen Tagen allein einschläft und durchschläft.

WAS WIRKT

Der Plan zum Schlafenlernen

Bei diesem Vorgehen nach Plan kann Ihr Kind lernen, allein einzuschlafen und gut durchzuschlafen. Voraussetzung: Ihr Kind sollte mindestens sechs Monate alt und gesund sein!

- Zunächst einmal legen Sie sinnvolle regelmäßige Schlafzeiten fest, zu denen Sie Ihr Kind tagsüber und abends jedes Mal in sein Bettchen bringen. Feste Zeiten sind eine sinnvolle und wirksame Einschlafhilfe. Der Behandlungsplan kann nur dann Erfolg bringen, wenn Ihr Kind zu seinen »Bettzeiten« wirklich müde ist. Erinnern Sie sich an die Regel »Bettzeit = Schlafzeit« von Seite 82: Sie sollten Ihr Kind erst zu der Zeit ins Bett bringen, zu der es normalerweise einschläft, im Zweifelsfall lieber noch etwas später.

- Alle anderen Hilfen, die Sie Ihrem Kind bisher unmittelbar vor dem Einschlafen gewährt haben – zum Beispiel Tragen, Stillen, Fläschchen – sollten von nun an deutlich vom Einschlafen getrennt und mindestens eine halbe Stunde vorher gegeben werden.

- Die letzten Minuten vor dem Zubettgehen verbringen Sie in intensivem Kontakt mit Ihrem Kind bei einem harmonischen Abendritual (siehe ab Seite 59). Unmittelbar danach legen Sie Ihr Kind wach und allein in sein Bett, verabschieden sich, zum Beispiel mit einem Gutenachtkuss, und verlassen das Zimmer.

- Allein wach im Bettchen zu liegen ist ein völlig ungewohntes Gefühl für Ihr Kind. Deshalb fängt es nun wahrscheinlich an zu weinen. Es erwartet, dass Sie die gewohnten Einschlafbedingungen schnell wiederherstellen. Genau das tun Sie jedoch nicht. Stattdessen gehen Sie nach einem vorher festgelegten Zeitplan vor und warten zunächst einige Minuten ab, bevor Sie wieder zu Ihrem Kind hineingehen (siehe Zeitplan Seite 98). Nach unseren Erfahrungen schaffen es die meisten Eltern, ihrem Kind eine Schreiphase von drei Minuten zuzumuten. Daher beginnt unser Plan mit einer dreiminütigen Wartezeit.

- Schauen Sie auf die Uhr. Nach Gefühl können Sie die wenigen Minuten kaum abschätzen. Sie werden Ihnen vielleicht sehr lang vorkommen.

- Die Tür des Kinderzimmers kann in dieser Zeit geschlossen bleiben.

- Wenn Ihr Kind noch weint, gehen Sie jedes Mal nach Ablauf der Wartezeit zu ihm hinein und bleiben kurz bei ihm. Sie können mit ruhiger, fester Stimme mit ihm reden, es trösten und streicheln. Falls es in seinem Bettchen steht, legen Sie es wieder zurück. Wenn es dann wieder aufstehen will, legen Sie es noch einmal hin, aber nicht öfter. Nehmen Sie es nicht auf den Arm und geben Sie ihm keine »Hilfsmittel« wie Brust oder Fläschchen. Ihr Kind soll nur merken, dass Sie bei ihm sind und ihm Ihre Zuwendung geben. Mehr nicht.

- Ihr Kind sollte gerade nicht in Ihrer Anwesenheit einschlafen. Sinn der Sache ist vielmehr, ihm zu zeigen: »Es ist alles in Ordnung. Ich bin da, aber du wirst jetzt lernen, allein einzuschlafen.« Für viele Eltern ist es eine Hilfe, diese Sätze jedes Mal auszusprechen. Ihr Baby spürt am Klang Ihrer Stimme Ihre Sicherheit und Entschlossenheit und ebenso Ihre Wärme und Zuneigung – auch wenn es den Sinn der Worte noch nicht versteht.

- Manche Kinder reagieren auf die Anwesenheit ihrer Eltern mit noch heftigerem Schreien. In diesem Fall bleiben Sie nur kurz bei Ihrem Kind. Bewährt hat sich die Regel: Je wütender das Kind ist, desto kürzer bleiben Sie. Gehen Sie trotzdem immer wieder zu ihm hinein, damit es sich nicht alleingelassen fühlt.

- Ob sich Ihr Kind beruhigt hat oder nicht – nach spätestens zwei Minuten verlassen Sie das Zimmer und schauen wieder auf die Uhr. Diesmal warten Sie etwas länger – nach dem Zeitplan fünf Minuten lang –, gehen dann wieder zu Ihrem Kind und überzeugen sich, dass alles in Ordnung ist. Sie gehen genau vor wie oben beschrieben. Wieder verlassen Sie nach ein bis zwei Minuten den Raum und warten ab. Ihre Wartezeit steigern Sie diesmal auf sieben Minuten.

- Falls Ihr Kind noch nicht schläft, gehen Sie von nun an alle sieben Minuten zu ihm, um es zu trösten und ihm zu zeigen, dass Sie da sind – bis es tatsächlich allein in seinem Bettchen einschläft.

- Bei den Tagesschläfchen, abends und beim nächtlichen Aufwachen beginnen Sie mit drei Minuten Wartezeit und steigern dann bis sieben Minuten.

- Am nächsten Tag fangen Sie jedes Mal mit einer fünfminütigen Wartezeit an und steigern bis auf neun Minuten. Diese Zeit behalten Sie wieder bei, bis Ihr Kind allein eingeschlafen ist. Am dritten Tag beginnen Sie bei sieben Minuten und steigern bis auf zehn Minuten. Längere Wartezeiten sollten Sie sich und Ihrem Kind nicht zumuten.

- Gehen Sie nur zu Ihrem Kind hinein, wenn es richtig weint. Bei leisem Jammern oder Quengeln ist die Wahrscheinlichkeit groß, dass es sich von selbst beruhigt. Deshalb ist es sinnvoller, noch abzuwarten.

Wartezeiten, bevor Sie zu Ihrem Kind hineingehen

	1. Mal	2. Mal	3. Mal	jedes weitere Mal
1. Tag	3 Min.	5 Min.	7 Min.	7 Min.
2. Tag	5 Min.	7 Min.	9 Min.	9 Min.
3. Tag	7 Min.	9 Min.	10 Min.	10 Min.
ab 4. Tag	10 Min.	10 Min.	10 Min.	10 Min.

Schlafenlernen tagsüber

- Abends und nachts gehen Sie so lange nach dem Plan vor, bis Ihr Kind schläft. Tagsüber sollten Sie anders vorgehen: Wenn Ihr Kind tagsüber nach 30 bis 45 Minuten immer noch nicht eingeschlafen ist, holen Sie es aus dem Bettchen und versuchen, es wach zu halten bis zur nächsten Schlafzeit. Die Zeit des Wachhaltens kann anstrengend sein. Ihr Kind ist vielleicht quengelig und schläft möglicherweise sogar beim Spielen ein. In diesem Fall können Sie es vorsichtig zudecken und eine Viertelstunde schlafen lassen. Immerhin hat es das Einschlafen ohne Ihre Hilfe geschafft.

- Wichtig ist, dass Sie Ihr Kind tagsüber und morgens zu seinen üblichen Zeiten wecken, auch wenn es längere Zeit wach gewesen sein mag. Denn wenn es versäumte Schlafzeiten nachholen kann, kann sich leicht ein sehr ungünstiger Schlafrhythmus einspielen. Dann wirkt der Plan zum Schlafenlernen nicht mehr.

Bei dieser Vorgehensweise »verlernt« Ihr Kind das Schreien. Denn statt der erwünschten Einschlafhilfe erreicht es nur, dass Papa oder Mama kurz zu ihm kommen und es trösten. Gleichzeitig ist es müde, da es zu regelmäßigen, angemessenen Zeiten ins Bett gebracht und gegebenenfalls auch geweckt wird. So kommt es schnell zu dem Schluss: »Ich strenge mich an und schreie, und was passiert? Für das bisschen Zuwendung lohnt sich der Aufwand nicht. Da schlafe ich lieber.« Das Schlafbedürfnis ist auf Dauer stärker als die Gewohnheit, um die das Kind zunächst kämpft. Durch die allmähliche Steigerung der Wartezeit lernt Ihr Kind: »Länger schreien bringt auch nicht mehr. Meine Eltern machen trotzdem nicht genau das, was ich will.«

Zusätzlich läuft ein weiterer Lernprozess ab. Jedes Mal, wenn Ihr Kind allein einschläft, kommt es dem wichtigsten Ziel ein Stück näher: Nach und nach wird das Gefühl, allein in seinem Bett einzuschlafen, zur Einschlafgewohnheit. Es wird nun als richtig und in Ordnung eingestuft und löst keinen »Alarm« mehr aus. Schon nach wenigen Tagen ersetzt es die früheren ungünstigen Einschlafhilfen.

Ihr Kind wird zwar nach wie vor nachts wach. Es kann nun aber ohne Ihre Hilfe allein wieder einschlafen.

⋯⋗ Jedes Kind lernt anders

Wenn Sie nach dem Plan zum Schlafenlernen vorgehen, können die ersten Nächte schwierig sein – sowohl für Sie als auch für Ihr Kind. Manche Kinder sind noch nie in ihrem Leben allein in ihrem Bettchen eingeschlafen. Mit welcher Energie sie sich dagegen wehren, hängt von ihrem Temperament und ihren bisherigen Lernerfahrungen ab. Entsprechend reagieren sie sehr unterschiedlich auf den Behandlungsplan. Einige Kinder weinen nie länger als eine Viertelstunde und haben sich schon nach zwei bis drei Tagen umgewöhnt. Bei anderen dauert es beim ersten Mal ein bis zwei Stunden, ganz selten sogar noch länger, bis sie eingeschlafen sind. In dieser Zeit sind Mutter oder Vater zehnmal oder öfter zu ihnen gegangen, um sie zu trösten und ihnen zu zeigen: »Wir sind da, es ist alles in Ordnung.«

Wenn Sie **konsequent** nach dem Plan vorgehen, ist nach dem **dritten Tag** meist eine deutliche **Besserung** oder sogar schon die **Lösung** erreicht

Zum Glück lernen Kinder neue Gewohnheiten viel leichter und schneller als Erwachsene. Eine Faustregel lautet:

Wenn Ihr Kind zehnmal nacheinander ohne Hilfe eingeschlafen ist, hat es den Durchbruch geschafft

Nur sehr selten dauert es länger als eine Woche und nur in Ausnahmefällen länger als zwei Wochen. Spätestens dann hat Ihr Kind sich daran gewöhnt, allein einzuschlafen und durchzuschlafen.

Da es große Unterschiede zwischen den Kindern gibt, kann es nicht nur eine Lösung geben, die für alle optimal ist. Unser Plan zum Schlafenlernen ist lediglich das Gerüst. Sie können selbst entscheiden, ob und wie Sie ihn am besten für Ihr Kind und sich selbst abwandeln wollen. Nur wenn er für Sie beide passt, kann er Erfolg bringen.

⤳ Abweichungen vom Plan

In der Regel empfehlen wir, von Anfang an tagsüber und nachts nach dem Plan zum Schlafenlernen vorzugehen. Der Lerneffekt ist am besten, wenn die Einschlafbedingungen immer gleich sind und das Kind so oft wie möglich üben kann, allein in seinem Bett einzuschlafen. Einige Eltern wollen sich und ihrem Kind die Umgewöhnung aber nicht auf Anhieb tagsüber, am Abend und auch noch in der Nacht zumuten. In diesem Fall kann eine Änderung des Behandlungsplans sinnvoll sein.

Vorgehen in zwei Schritten

Statt alles auf einmal zu ändern, können Sie den Lernprozess aufteilen. Sie brauchen dann aber etwas mehr Geduld, bis Ihr Kind nachts durchschläft.

Im ersten Schritt lernt Ihr Kind zunächst mit Hilfe des Behandlungsplans, tagsüber und abends allein einzuschlafen. Wird es nachts wach, bekommt es die gewohnte Einschlafhilfe – sofort, ohne jede Wartezeit. Wenn Sie Glück haben, wendet es die neu erlernte Fähigkeit auch nachts beim Wiedereinschlafen an. Dann brauchen Sie gar nichts weiter zu tun. Die Nachtruhe verbessert sich von selbst.

Der zweite Schritt wird notwendig, wenn Ihr Kind nachts nach ein bis zwei Wochen weiterhin regelmäßig wach wird, obwohl es tagsüber und abends schon problemlos allein einschlafen kann: Dann ist es notwendig, den Plan zum Schlafenlernen nun auch nachts anzuwenden.

Wartezeiten verändern

Die auf Seite 98 angegebenen Wartezeiten, die Ihr Kind allein in seinem Zimmer verbringt, haben sich nach unserer Erfahrung bewährt. Die meisten Eltern kommen damit zurecht. Es ist jedoch durchaus möglich, sich vor dem Schlaflern-Training einen anderen Zeitplan zusammenzustellen. Vielleicht erscheinen Ihnen die angegebenen Wartezeiten zu lang. Sie fühlen sich einfach nicht gut dabei, Ihr Kind mehrere Minuten allein in seinem Zimmer weinen zu lassen. Dann können Sie die Zeiten verkürzen.

Eine Möglichkeit: Sie ziehen von allen auf Seite 98 angegebenen Wartezeiten jeweils zwei Minuten ab. Bei einer Zeit von fünf Minuten angekommen, steigern Sie die Zeit nicht weiter.

Die zweite Möglichkeit: Kommen Ihnen die verkürzten Zeiten immer noch zu lang vor? Dann empfehlen wir Ihnen die »Pingpong-Methode«: Sie verlassen das Kinderzimmer immer nur für ganz kurze Zeit. Schon nach 30 bis 60 Sekunden gehen Sie wieder zu Ihrem Kind hinein und zeigen sich ihm oder reden kurz mit ihm.

Dabei steigern Sie die Wartezeit nicht. Es geht immer hin und her – wie beim Pingpongspiel. Dieses Vorgehen erfordert viel Engagement. Wenn Sie es konsequent durchhalten, ist es trotzdem auf lange Sicht erfolgreich, denn Ihr Kind schläft letztlich allein in seinem Bett ein. Durch den ständigen Wechsel zwischen Hineinkommen und Rausgehen kommt natürlich eine gewisse Unruhe auf. Aber Sie sind auf der sicheren Seite, wenn Sie Trennungsängste bei Ihrem Kind auf jeden Fall ausschließen wollen.

Manche Eltern dehnen die Wartezeiten etwas aus, weil ihre Anwesenheit das Kind offensichtlich nicht beruhigt, sondern nur immer wütender macht. Auch Professor Ferber, der als Erster einen Plan zum Schlafenlernen entwickelt hat (siehe Seite 14), empfiehlt bis zu 30 Minuten, in früheren Veröffentlichungen sogar 45 Minuten Wartezeit. Beides erscheint uns viel zu lang.

Abkürzen können Sie die **Wartezeiten** im Plan so weit wie möglich. **Verlängern** sollten Sie sie **nicht**

Entscheidend für den Erfolg des Plans zum Schlafenlernen ist nicht, welche Zeiten Sie festlegen. Viel wichtiger ist: Wählen Sie einen Zeitplan, der Ihnen sinnvoll erscheint und den Sie auch Tag für Tag durchhalten können.

Auch wenn Ihnen ein fester Zeitplan willkürlich erscheint – für die meisten Eltern ist es eine große Hilfe, von vornherein genau zu wissen: Was werde ich als Nächstes tun?

Der Plan gibt Ihnen die Sicherheit, kontrolliert und zielgerichtet zu handeln. Das spürt auch Ihr Kind

Es wird dann wesentlich schneller den Kampf um seine alten, liebgewordenen Gewohnheiten – der ja zum Teil ein Machtkampf ist – aufgeben, als wenn es bei Ihnen Hilflosigkeit und Unsicherheit wahrnimmt.

Mit im Zimmer bleiben

Einige Eltern haben nicht einmal bei der »Pingpong-Methode« (siehe Seite 101) ein gutes Gefühl. Selbst eine Trennung von 30 Sekunden wollen sie ihrem Baby nicht zumuten – aus Sorge, es könnte sich allein und verlassen fühlen und dauerhaft Schaden nehmen. Hören Sie in so einem Fall bitte auf Ihr Herz. Wenn Sie zu diesen Eltern gehören, wählen Sie die folgende Abweichung vom Plan zum Schlafenlernen.

Legen Sie Ihr Kind wach und allein in sein Bett. Geben Sie ihm zum Einschlafen nicht mehr die gewohnte Hilfe – ob dies nun Trinken oder Herumtragen oder Händchenhalten war. Aber bleiben Sie mit im Zimmer, so dass Ihr Kind Sie sehen kann. Setzen Sie sich zum Beispiel auf einen Stuhl in der Nähe der Tür, so dass Sie sich später Schritt für Schritt hinausbewegen können.

Nach dem Plan auf Seite 98 gehen Sie alle paar Minuten zu Ihrem Kind ans Bettchen und reden mit ihm. Danach setzen Sie sich wieder auf den Stuhl. Auf diese Art und Weise können Sie ausschließen, dass Ihr Kind Angst hat. Sie sind ja da, es kann Sie sehen. Wenn es trotzdem weint, hat das nichts mit Angst zu tun. In diesem Fall weint Ihr Kind, weil es nicht genau das bekommt, was es will.

Probieren Sie aus, ob bei diesem Vorgehen Ihre Anwesenheit für Ihr Kind hilfreich ist. Wenn ja, bleiben Sie wie beschrieben bei ihm. Allerdings werden Sie auf diese Weise noch viel Geduld brauchen, bis Ihr Kind das Einschlafen ganz allein schafft. Wenn Ihr Kind aber trotz Ihrer Anwesenheit weiterhin weint, entscheiden Sie sich vielleicht dafür, doch nach dem »normalen« Plan zum Schlafenlernen (ab Seite 96) vorzugehen – wenn Ihre innere Stimme keinen Einspruch erhebt.

Erfolgskontrolle mit dem Schlafprotokoll

IM ZWEITEN KAPITEL auf Seite 69 – es ging um feste Schlaf-Zeiten – haben wir Ihnen bereits ein Schlafprotokoll vorgestellt. Wenn Ihr Kind sich nach dem Plan zum Schlafenlernen auf neue Einschlafgewohnheiten umstellen soll, kann das Protokoll ebenfalls eine große Hilfe sein.

⋯⋗ So gehen Sie vor

Sie tragen die Mahlzeiten und die Schlafzeiten, aber auch die Schrei-Zeiten in ein Protokoll ein (siehe Anhang Seite 167) und können auf diese Weise die Fortschritte Ihres Kindes genau beobachten.

Ein typischer Verlauf

Das Schlafprotokoll von Vera (zehn Monate) auf Seite 105 zeigt einen recht typischen Verlauf. Vor der Behandlung hatte Vera ein sehr kompliziertes Einschlafritual mit Fläschchen, Nuckeln, Schnuller, Hand-über-die-Augen-Halten und Ins-Elternbett-Holen. Es wiederholte sich sieben- bis neunmal in der Nacht. Vera schlief abends erst nach zwei Stunden ein und war nachts eine Stunde lang wach.

Tagsüber wirkte Vera sehr unausgeglichen. Der Schlaf schien ihr zu fehlen. Vera hatte viel zu verlieren. Ihre Eltern wussten, dass sie einen besonders starken Willen hatte. Ihnen war klar: Vera würde ihre Gewohnheiten nicht ohne Protest aufgeben. Deshalb warteten sie ab, bis Veras Vater Frühschicht hatte und seine Frau bei der Durchführung des Programms unterstützen konnte. Außerdem entschlossen sich die Eltern, für die nächsten Tage im Wohnzimmer zu schlafen, da Veras Kinderbett aus Platzgründen im Elternschlafzimmer stand. Vera bekam von nun an zum Einschlafen kein Fläschchen mehr. Die Eltern blieben nicht mehr bis zum Einschlafen bei ihr im Zimmer und holten sie nicht mehr ins Elternbett. Den Schnuller steckten sie ihr nicht mehr in den Mund, sondern legten ihn nur noch ins Bett.

Wie erwartet war der erste Tag sehr schwierig. Der Mittagsschlaf fiel aus, weil Vera sich fast eine Stunde gegen das Einschlafen wehrte und dann aus dem Bett geholt wurde. Der Rest des Tages war ebenfalls anstrengend, denn Vera war sehr quengelig und übermüdet. Abends schlief sie aber erschöpft ohne Protest in ihrem Bettchen ein.

Nach der üblichen Tiefschlaf-Phase kam dann buchstäblich das »böse Erwachen«: Vera stand im Bettchen und schrie aufgebracht. Auf das Hereinkommen ihres Vaters und seine Versuche, sie zu trösten, reagierte sie mit noch lauterem Schreien. Wurde sie zurückgelegt, stellte sie sich anfangs sofort wieder hin. Trotzdem ging ihr Vater immer wieder hinein, um sie hinzulegen und ihr zu sagen: »Wir sind da. Es ist alles in Ordnung.« Insgesamt ging er achtmal zu seiner Tochter hinein, bis sie endlich schlief. Zuletzt blieb Vera in ihrem Bettchen liegen, und es gab längere Pausen zwischen den Schrei-Phasen. Wenn sie nur leise wimmerte oder ruhig war, wartete ihr Vater ab und ging nicht zu ihr.

Veras Mama lag in dieser Zeit mit Kopfhörer auf dem Sofa und hörte Musik, wie sie mit ihrem Mann vereinbart hatte. Sie war sich nicht sicher gewesen, ob sie sonst durchgehalten hätte.

Die folgenden vier Stunden schlief Vera durch. Für sie, die vorher ab 23 Uhr immer stündlich wach geworden war, war das schon sehr außergewöhnlich. Um vier Uhr und dann um sechs Uhr wurde sie nochmals wach, ihr Vater musste aber nur noch jeweils einmal zu ihr gehen. Wie Sie an Veras Schlafprotokoll auf der rechten Seite erkennen können, gab es schon ab dem zweiten Tag beim Mittagsschlaf keinerlei Protest

mehr. Die meisten Kinder akzeptieren – wie Vera – Veränderungen tagsüber eher als abends oder nachts.

Der dritte Tag zeigt noch eine typische Entwicklung: Vera wurde nachts genau zu ihren früher üblichen Zeiten wach. Sie weinte jedoch nur kurz auf und schlief allein wieder ein, ohne dass jemand zu ihr gegangen war.

Ab dem fünften Tag schlief Vera durch, von gelegentlichem, sehr kurzem Aufweinen abgesehen. Ihre Schlafdauer hatte sich von durchschnittlich 10 auf 13 Stunden erhöht.

Bei einer Nachbesprechung acht Monate später zeigte sich, dass das »Schlaflern-Training« auch auf Dauer erfolgreich war: Ohne jedes Problem schlief Vera nun innerhalb von fünf bis zehn Minuten ein – mit ihrem Schnuller, den sie mittlerweile allein »bedienen« konnte, als einziger Einschlafhilfe. Sie schlief nachts noch immer elf Stunden durch und mittags zusätzlich zwei Stunden.

⸱⸱⸱⟩ Welche Probleme können auftreten?

Nicht allen Kindern fällt die Umgewöhnung so schwer wie Vera. Ab Seite 89 war von Robert die Rede, der immer einen Schnuller »brauchte«, und von Larissa, deren Mutter sich zu ihr auf die Matratze legen »musste«. Beide Kinder

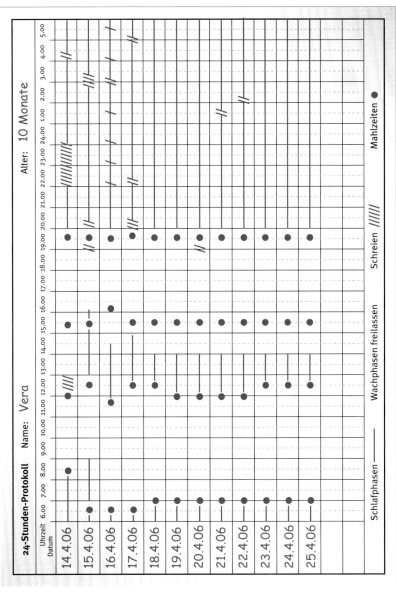

Veras Schlafprotokoll

24-Stunden-Protokoll   Name: Vera   Alter: 10 Monate

Schlafphasen ——   Wachphasen freilassen   Schreien //////   Mahlzeiten ●

weinten nie länger als 15 Minuten. Beide schliefen schon nach drei Tagen durch. Wenn die Umstellung so problemlos verläuft, fragen die Eltern sich: »Das soll alles gewesen sein?« Sie können kaum fassen, dass mit so geringem Aufwand ein so großer Effekt zu erzielen ist. Leider kann man einen so »glatten« Verlauf weder garantieren noch vorhersehen. Manche Kinder kämpfen wesentlich stärker und halten längere Schreizeiten durch.

Schwierigkeiten meistern

Bei Ron, der vom Stillen, Tragen und Singen entwöhnt werden musste, trat erst am achten Tag die Wende zur Besserung ein. Die elf Monate alte Janina schlief zwar nach relativ kurzer Zeit durch, weinte jedoch noch drei Wochen lang immer einige Minuten, bevor sie einschlief.

Bei einigen Kindern klappt zwar das Einschlafen abends und das Durchschlafen recht schnell, aber es gibt längere Zeit Probleme mit den Tagesschläfchen. Oder umgekehrt: Tagsüber und abends schläft ein Baby nach wenigen Tagen wunderbar, nachts wird es dagegen auch nach mehreren Wochen noch wach.

In wenigen Fällen scheint der Plan zum Schlafenlernen gar nicht anzuschlagen: Das Kind weint nach einigen Tagen immer noch abends oder nachts längere Zeit, obwohl es alle paar Minuten getröstet wird. Falls das bei Ihrem Kind zutrifft, schauen Sie sich am besten den vorigen Abschnitt (ab Seite 76) noch einmal genau an: Wenn der Erfolg sich einfach nicht einstellen will, hat das in den meisten Fällen etwas mit dem Schlafrhythmus zu tun. Vielleicht gehört Ihr Kind zu den »Wenigschläfern«, oder es hat noch keine guten Schlafzeiten. Die sind aber die Voraussetzung für den Erfolg! Die innere Uhr Ihres Kindes muss auf Schlafen gestellt sein. Halten Sie die »Bettzeit = Schlafzeit«-Regel von Seite 82 ein! Wenn Sie nach dem Plan zum Schlafenlernen vorgehen, obwohl Ihr Kind nicht müde ist, kann nichts Gutes dabei herauskommen: Es steht oder liegt im Bett und weint, weil seine innere Uhr noch gar nicht auf Schlafen gestellt ist. Nur wenn es richtig müde ist, kann sich das Schlafbedürfnis gegen eine ungünstige Gewohnheit durchsetzen.

Selten, aber belastend: Erbrechen

Eine besondere Schwierigkeit kommt in seltenen Fällen vor: Manche Kinder erbrechen sehr leicht. Die Eltern können es meist vorhersehen, ob bei ihrem Kind heftiges Schreien manchmal zum Erbrechen führt, auch wenn es vollkommen gesund ist. Normalerweise ist das kein Grund zur Sorge, obwohl die

Eltern verständlicherweise zunächst einen Schreck bekommen.

Was sollten Sie tun, wenn genau das passiert und Ihr Kind sich während des Umgewöhnungsprogramms übergibt? Bleiben Sie vorsichtshalber die ganze Zeit in seiner Nähe und gehen Sie sofort zu ihm. Machen Sie alles sauber, aber fahren Sie danach mit dem Programm fort. Sie helfen Ihrem Kind, wenn Sie mit dem – vorhersehbaren – Erbrechen sachlich und ruhig umgehen. Wenn Sie stattdessen den Plan zum Schlafenlernen sofort abbrechen und Ihrem Kind wieder die gewohnte Einschlafhilfe geben, wird es etwas sehr Ungünstiges daraus lernen: »Durch Schreien bekomme ich nicht die Einschlafhilfe, die ich haben will. Durch Erbrechen schon.«

Pascal (ein Jahr alt) war vom frühesten Säuglingsalter an ein »Spuck-Kind«. Auch jetzt noch steigerte er sich manchmal in sein Schreien so hinein, dass er erbrach. Pascal lernte mit der Zeit, dass er durch Erbrechen leicht seinen Willen durchsetzen konnte. Und er lernte das Erbrechen jederzeit ohne Anstrengung herbeizuführen.

Nun sollte Pascal mit Hilfe des Plans zum Schlafenlernen von Mutters Anwesenheit im Bett entwöhnt werden. Am ersten Abend regte er sich so auf, dass er fünfmal hintereinander erbrach – obwohl seine Mutter die ganze Zeit über bei ihm im Zimmer blieb. Beim Mittagsschlaf machte er es genauso, und erst am dritten Tag, als Mutter und Beraterin schon zu schwanken begannen, hörte er auf. Nach dem fünften Tag konnte seine Mutter das Zimmer nach dem Abschiedskuss ohne Probleme verlassen. Kurz darauf schlief Pascal durch.

Bisher hatte er gelernt, dass er nach dem Erbrechen das bekam, was er wollte. Hätte er auch diesmal damit Erfolg gehabt, wäre die Versuchung groß gewesen, es in Zukunft weiterhin auf diese Weise zu versuchen. Stattdessen machte Pascal die Erfahrung: »Wenn ich mich übergebe, kommt Mama nur und macht mich sauber. Sie legt sich aber trotzdem nicht zu mir ins Bett.« Nach einigen Tagen fand er das Allein-Einschlafen völlig normal und gemütlich. Auch vom Vater oder von der Oma ließ sich Pascal nun ins Bett bringen. Seine Mutter konnte erstmals seit zwölf Monaten abends etwas unternehmen.

Pascal war ein Extremfall. Für ihn und seine Mutter war die Umgewöhnung sehr schwierig. Allerdings war seine Mutter vorher sehr erschöpft und gestresst gewesen. Darunter hatte auch ihr Sohn zu leiden. Es musste sich unbedingt etwas ändern. Das war der Mutter völlig klar. Nur deshalb schaffte sie es, trotz aller Schwierigkeiten einige Tage konsequent zu bleiben.

> Nicht ganz so kompliziert war es bei Felix, dem seine Eltern das nächtliche Herumgetragenwerden abgewöhnen wollten. Nach fünfminütigem Weinen übergab er sich, weitere fünf Minuten später noch einmal.

Wie besprochen, zog die Mutter ihren Sohn kommentarlos um und machte sein Bettchen frisch. Dann fuhr sie nach dem Zeitplan fort mit der Methode, im Wechsel zu warten und zu Felix hineinzugehen. Danach kam es nicht mehr zum Erbrechen. Felix schlief nach wenigen Tagen durch.

Kleine Stehaufmännchen

Eine andere Schwierigkeit tritt nicht selten bei Kindern auf, die gerade gelernt haben, sich am Gitterbett hochzuziehen. Wie Stehaufmännchen richten sie sich auf, sobald sie ins Bett gelegt werden. Und da stehen sie nun und weinen und wissen vielleicht noch gar nicht, wie man sich wieder hinlegt. Im Stehen kann man das Allein-Einschlafen nicht besonders gut lernen. Es ist kein Wunder, dass es für diese Kinder schwieriger ist und länger dauert. Wie können Sie Ihrem kleinen »Stehaufmännchen« helfen?

Bleiben Sie gelassen. Verhindern können Sie das Hinstellen nicht. Immer wenn Sie zu Ihrem Kind hineingehen, legen Sie es wieder hin. Aber nur einmal. Sollte es sich sofort wieder hochziehen, lassen Sie es stehen, bis Sie wiederkommen. Machen Sie keinen Kampf daraus und halten Sie Ihr Kind auf keinen Fall im Liegen fest. Gehen Sie lieber öfter hinein: Ziehen Sie zum Beispiel von den vorgeschlagenen Zeiten des Plans zum Schlafenlernen jeweils zwei Minuten ab. Irgendwann ist es so weit: Ihr Kind legt sich hin oder bleibt liegen. Eventuell sinkt es auch an den Gitterstäben hinunter in eine liegende oder halb liegende Stellung. Auch wenn das unbequem aussieht, können Sie Ihr Kind ruhig so liegen lassen: Wenn es sich allein hinstellen kann, kann es auch allein für eine bequeme Schlafposition sorgen. Ziehen Sie ihm einen Schlafsack an. Eine Zudecke würde es eher schwieriger machen.

Einige wenige Kinder schlafen allerdings tatsächlich im Gitterbett stehend ein! Auch in dem Fall gilt: Gehen Sie in besonders kurzen Abständen zu Ihrem Kind hinein und legen Sie es immer wieder hin. Sie brauchen viel Geduld. Es spricht einiges dafür, seinem Kind das Allein-Einschlafen beizubringen, wenn es sich noch nicht hinstellen kann.

Meist verläuft die Umgewöhnung weniger dramatisch, als die Eltern fürchten. Rechnen Sie vorsichtshalber trotzdem damit, dass die ersten zwei bis drei Tage für alle schwierig sein können.

···❯ **Weitere Tipps**

Hier finden Sie noch einige Tipps, die den Umgang mit möglichen Schwierigkeiten erleichtern können.

- Gehen Sie nur nach dem Plan zum Schlafenlernen vor, wenn Sie ganz sicher sind: »Ich will unbedingt etwas ändern. So kann es nicht weitergehen!« Es muss Ihnen ernst sein, die Zeit muss reif sein. »Es stört mich ein bisschen« ist nicht genug. Dafür ist der Preis zu hoch: Mit dem Vorgehen nach Plan muten Sie sich und Ihrem Kind Stress zu. Deshalb brauchen Sie einen guten Grund, ihn anzuwenden. Sie brauchen genug Leidensdruck. Ein halbherziges Ausprobieren kann nicht zum Erfolg führen, wohl aber zu einer Verschlimmerung der Schlafprobleme.
- Hören Sie auf Ihre innere Stimme. Tun Sie bitte nichts gegen Ihre Überzeugung. Wählen Sie im Zweifelsfall lieber eine der »sanften« Abweichungen vom Plan zum Schlafenlernen (siehe ab Seite 100).
- Einigen Sie sich mit Ihrem Partner auf ein gemeinsames Vorgehen. Sie können es nicht schaffen, wenn Ihr Partner Ihnen in den Rücken fällt. Sie können es nur gemeinsam schaffen.
- Wählen Sie einen günstigen Zeitpunkt für den Beginn des Programms. Wenn Sie einen Urlaub planen, beginnen Sie mindestens zwei Wochen vor der Reise. Die neuen Gewohnheiten Ihres Kindes sind sonst noch nicht stabil genug, und durch den Umgebungswechsel kann der Erfolg leicht gefährdet werden. Ein Ortswechsel zu Beginn des Lernprogramms, etwa vom Schlafzimmer ins Kinderzimmer, kann dagegen hilfreich sein, wenn das Kind alt genug dafür ist.
- Vater und Mutter können sich bei der Durchführung des Plans abwechseln, allerdings möglichst nicht innerhalb einer Nacht. Es ist sehr wichtig, dass beide an einem Strang ziehen. Entscheiden Sie, wer von Ihnen eher imstande ist, konsequent nach dem Plan vorzugehen. Derjenige sollte möglichst die ersten beiden Tage übernehmen. Lassen Sie sich bei der Entscheidung nicht von kindlichen Vorlieben leiten (»Ich will Mami«) – entscheiden Sie selbst.
- Wenn das Kinderbett bei Ihnen im Schlafzimmer steht, gibt es mehrere Möglichkeiten. Viele Eltern entscheiden sich, für einige Tage in einem anderen Zimmer zu schlafen. Sie ziehen wieder zurück ins Schlafzimmer,

wenn das Kind durchschläft. Andere quartieren ihr Kind im Reisebett eine Zeit lang in ein anderes Zimmer um. Auch das funktioniert in der Regel. Es ist auch möglich, das Kinderbett im Schlafzimmer umzustellen oder einen Vorhang anzubringen, so dass kein Sichtkontakt mehr besteht. Auch wenn das Kinderbett im Elternschlafzimmer steht, kann der Plan zum Schlafenlernen durchgeführt werden. Die Eltern brauchen dann einen besonders starken Willen zum Durchhalten.

- Geschwisterkinder im gleichen Raum machen das Schlafenlernen ebenfalls schwieriger. Vielleicht kann das Geschwisterkind für einige Tage umquartiert werden. Ist das nicht möglich, wird das Weinen des einen das andere vielleicht wecken. Das ist aber längst nicht immer der Fall. Sie können genau nach Plan vorgehen, auch wenn es etwas schwieriger ist. Das wissen wir aus unseren Erfahrungen mit Zwillingen.

- Entscheiden Sie vor der Anwendung des Plans, wie Sie die Wartezeiten steigern wollen – zum Beispiel von einer auf maximal fünf Minuten oder von drei auf maximal zehn Minuten. Entscheiden Sie auch vorher, ob Sie zunächst nur tagsüber und abends oder tagsüber und nachts gleichzeitig beginnen wollen.

- Wenn Ihr Kind während der Anwendung des Plans krank wird, zum Beispiel hohes Fieber oder starke Schmerzen bekommt, müssen Sie das Programm sofort abbrechen. Bei einem kranken Kind geht es nicht um Gewohnheiten. Wenn es Ihrem Kind schlecht geht, braucht es Ihre Hilfe. Die sollen Sie ihm uneingeschränkt geben. Ist Ihr Kind wieder gesund, können Sie einen neuen Anfang wagen. Das gilt auch, wenn Ihr Kind schon einige Zeit gut geschlafen hat und durch eine Krankheit wieder rückfällig wurde. Möglicherweise müssen Sie mehrmals nach dem Plan vorgehen. Der Lerneffekt setzt von Mal zu Mal schneller ein.

- Je schwieriger die äußeren Umstände sind, desto mehr ist Ihr Einfallsreichtum gefordert. Eine Mutter wartete zum Beispiel, bis ihr Mann eine Geschäftsreise machte. So konnte sie »in Ruhe« nach der Methode vorgehen und ihm bei seiner Rückkehr ein problemlos schlafendes Baby präsentieren. Ein Vater hatte eine besonders ausgefallene Idee: Er übernahm das Zubettbringen – und schloss seine Frau in bestem Einvernehmen jedes Mal in einem anderen Zimmer ein, bis das Baby eingeschlafen war, damit sie ihm nicht in den Rücken fallen konnte.

Abgewöhnen nächtlicher Mahlzeiten

IST IHR BABY SCHON ÄLTER ALS SECHS MONATE und bekommt nachts immer noch einmal oder mehrmals etwas zu trinken? Dann hat das Trinken wahrscheinlich nichts mit Hunger zu tun, sondern es ist eine ungünstige Einschlafgewohnheit, die Ihr Kind daran hindert, durchzuschlafen.

Ein Baby abends vor dem Schlafengehen zu stillen oder es mit Fläschchen einschlafen zu lassen ist sehr verbreitet. Bei Neugeborenen ergibt es sich meist von selbst so. Daher ist es nahe liegend, diese Gewohnheit beizubehalten. Außerdem ist es ein wunderbares Gefühl, zu spüren, wie sich ein Baby beim Trinken auf dem Arm allmählich entspannt.

Wenn es regelmäßig bis zum nächsten Morgen durchschläft, besteht auch kein Grund zur Veränderung. Wird Ihr Kind jedoch mehrmals nachts wach und kann nur mit Brust oder Fläschchen wieder einschlafen, verursacht das Trinken die Schlafstörung. Stillen und Fläschchengeben sollten deshalb auch tagsüber und abends vom Einschlafen getrennt werden, also immer mindestens eine halbe Stunde vorher stattfinden.

Zusätzlich führt das nächtliche Trinken zu nassen Windeln. Wenn Ihr Kind auch noch Milch oder Milchbrei bekommt, müssen Magen und Darm auf Hochtouren arbeiten. Der Körper kann gar nicht auf Schlaf umschalten.

HAND AUFS HERZ

Nächtliche Mahlzeiten

- Wie oft bekommt Ihr Kind nachts etwas zu trinken?
- Was bekommt Ihr Kind nachts zu trinken?
- Wie viel trinkt es pro Nacht? (Menge im Fläschchen/wie lange trinkt es an der Brust?)

WAS WIRKT

Abgewöhnen nächtlicher Mahlzeiten

- Nachts braucht ein Baby mit fünf bis sechs Monaten keine Mahlzeiten mehr. Trinkt Ihr Baby immer nur wenig (zum Beispiel insgesamt ein kleines Fläschchen, oder es nuckelt nur an der Brust, ohne richtig zu trinken), können Sie die nächtlichen Mahlzeiten sofort weglassen und genau nach dem Plan zum Schlafenlernen von Seite 96 vorgehen. Auch wenn Ihr Kind schon älter als zwei Jahre ist und nachts noch mehrere Fläschchen trinkt, können Sie diese sofort weglassen. Zwar hat es möglicherweise tatsächlich noch gelernten Durst oder Hunger. Es wird jedoch innerhalb von ein bis drei Tagen seine Ernährungsgewohnheiten umstellen und tagsüber mehr trinken, wenn es nachts nichts mehr bekommt.

- Bei jüngeren Kindern, die nachts sehr viel Flüssigkeit oder sehr gehaltvolle Mahlzeiten wie zum Beispiel dicken Milchbrei zu sich nehmen, ist ein allmähliches Abgewöhnen sinnvoller. Innerhalb einer Woche können Sie die Trinkmenge schrittweise auf null bringen. So können Sie sicher sein, dass Ihr Kind nicht aus Hunger weint. Dabei gehen Sie wie folgt vor: Wenn Sie Ihr Kind stillen, trennen Sie das Stillen abends vom Einschlafen. Wenn Ihr Kind sich in der Nacht meldet, gehen Sie sofort hin und legen es an. Schauen Sie nun aber beim nächtlichen Stillen auf die Uhr und legen Ihr Baby jeden Tag oder jeden zweiten Tag jeweils eine Minute kürzer an. Sollte Ihr Kind nach dem Stillen noch weinen, gehen Sie nach dem Plan zum Schlafenlernen vor. Zu kurze Stillzeiten, etwa unter drei Minuten, bringen eher Unruhe und sollten ganz weggelassen werden.

- Trinkt Ihr Kind nachts aus dem Fläschchen, gehen Sie ähnlich vor: Wenn es nachts weint, geben Sie ihm sofort die Flasche. Füllen Sie jeden Tag oder jeden zweiten Tag 10 bis 20 Milliliter weniger ins Fläschchen. Weint Ihr Kind danach noch, gehen Sie nach dem Plan zum Schlafenlernen vor. Bei einer geringen Menge angekommen, lassen Sie das Fläschchen schließlich ganz weg.

- Einige Eltern behalten eine frühe Morgenmahlzeit zwischen fünf und sechs Uhr noch eine Weile bei, weil ihr Kind danach noch einmal besonders gut schläft. Wenn sich alle Beteiligten dabei wohl fühlen, spricht nichts dagegen. Auf Dauer schlafen Kinder ohne diese Morgenmahlzeit jedoch genauso gut.

⋯⟩ Einige Beispiele

Die folgenden Fallbeispiele zeigen Ihnen, wie nächtliche Trinkgewohnheiten Ihres Kindes entstehen und verändert werden können.

Es fing so harmlos an ...

Bei Till (zehn Monate) fing alles ganz harmlos mit einem kleinen Fläschchen Tee an. Nach einigen Wochen war Till jedoch bei neun Fläschchen pro Nacht angekommen. Das war mehr als ein Liter! Er trank alle Fläschchen leer. Mehrmals pro Nacht musste der Kleine gewickelt werden.

Tills Mutter gab ihrem Sohn zunächst weiterhin neun Fläschchen, füllte aber jeden zweiten Tag etwas weniger Tee hinein. Nach zwei Wochen war Till vom nächtlichen Trinken entwöhnt. Durch das sanfte, schrittweise Vorgehen hielt sich sein Protest in Grenzen.

Täglicher Kampf um die Brust

Andreas war fast zwei Jahre alt. Bis zum Zeitpunkt der Beratung schlief er immer an Mutters Brust ein. Auch nachts musste er noch drei- bis fünfmal gestillt werden. Die Mutter tat dies weder gern noch freiwillig, sondern mit hilfloser Wut.

Jeder Umgewöhnungsversuch war bisher mit Schreien oder Erbrechen einhergegangen. Die Mutter fühlte sich erpresst und ausgenutzt. Stillen war für sie nichts Friedliches mehr. Sie nannte es: »Ich schiebe ihm die Brust in den Hals.« Weitere Kinder wollte sie nicht haben. »Und wenn noch eins kommt«, sagte sie, »werde ich es auf keinen Fall stillen.« Dabei hatte sie das Stillen in den ersten Monaten sehr genossen! Dass ihr Sohn jemals allein in seinem Bettchen einschlafen würde, konnte sie sich gar nicht vorstellen.

In diesem Fall war die Mutter-Kind-Beziehung bereits sehr belastet. Deshalb war ein besonders behutsames Vorgehen sinnvoll. Innerhalb von drei Tagen erreichte die Mutter, dass Andreas sich ohne Protest mit ihrer Anwesenheit neben dem Bettchen und Händchenhalten zufrieden gab und ohne Brust einschlief. Für die Mutter war das bereits ein großer Fortschritt.

»Sie braucht es doch!«

Ein weiterer besonderer Fall war Sabrina (fünfzehn Monate). Sabrina war ein »schlechter Esser«. Sie nahm stetig zu, aber ihr Gewicht lag an der unteren Grenze des Normalbereichs. Die Eltern hatten bemerkt, dass Sabrina ihr Fläschchen am besten im Halbschlaf trank.

Sabrinas Eltern füllten also die Flasche mit dickem Milchbrei, setzten den Breisauger auf die Flasche und gaben sie ihrer kleinen Tochter.

Und Sabrina trank jede Nacht bis zu einem Liter Milchbrei, auf vier bis fünf Flaschen verteilt. Etwa zehnmal wurde Sabrina nachts wach, denn der volle Magen störte ihren Schlafrhythmus erheblich. Tagsüber nahm Sabrina fast nichts zu sich. Das Vorurteil vom »schlechten Esser« bestätigte sich auf diese Weise.

Sabrinas Eltern waren nicht zu überzeugen, dass auch ihre Tochter nachts ohne Mahlzeiten auskommen und die Nahrungsaufnahme innerhalb kurzer Zeit auf den Tag verlegen würde. »Sie braucht es doch!«, war die feste Meinung der Eltern. Trotzdem verringerten sie nach dem Beratungsgespräch die nächtliche Trinkmenge. Es blieb bei einer 200-Milliliter-Flasche pro Nacht – und bei einem Wachwerden. Damit konnten alle gut leben.

Lena lernt schnell

Am Beispiel der elf Monate alten Lena können Sie nun verfolgen, wie das Abgewöhnen von mindestens fünf nächtlichen Stillmahlzeiten ablief. Lenas Mutter hatte den Verlauf der letzten zwölf Tage vor der Beratung im Schlafprotokoll eingetragen (siehe rechte Seite).

Lenas Mutter nahm ihre Tochter zum Stillen immer mit in ihr Bett. Lena schlief regelmäßig die ganze Nacht dort. Ihre Mutter musste sich auch tagsüber und abends dazulegen, weil Lena nur an der Brust einschlief. In der Abbildung sind die Stillzeiten als blaue Punkte gekennzeichnet.

Eigentlich wollte Lenas Mama sehr behutsam vorgehen und ihrer Tochter zwei Wochen Zeit für das Abgewöhnen der nächtlichen Mahlzeiten lassen. Aber dazu kam es gar nicht. Am Tag der Beratung wurde Lena erstmals allein in ihr Bett gelegt. Von da ab ist der Verlauf im zweiten Schlafprotokoll festgehalten (siehe Seite 116). Es dauerte fast eine Stunde, bis Lena einschlief. Wiederum eine Stunde später wurde sie wach, als ihre Mami nach ihr sehen wollte und sich ins Zimmer schlich. Dieses Mal weinte Lena nur wenige Minuten. Danach hatte sie eine fünfstündige Schlafphase – die bisher längste ihres Lebens.

Um vier Uhr morgens wurde Lena sofort nach dem Aufwachen gestillt. Auch am zweiten Tag und dann noch einmal am fünften Tag wurde Lena gegen fünf Uhr einmal gestillt. Abends vor dem Einschlafen weinte sie zwar noch eine Zeit lang für jeweils ein paar Minuten. Aber sie schlief, von ganz kurzem Aufweinen abgesehen, seitdem ohne Mahlzeiten durch.

Lenas Schlafprotokoll vor dem Schlafenlernen nach Plan

24-Stunden-Protokoll   Name: Lena   Alter: 11 Monate

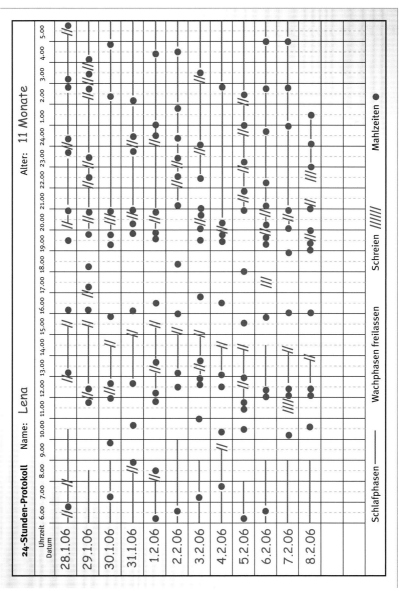

Schlafphasen ——— Wachphasen freilassen Schreien ////// Mahlzeiten ●

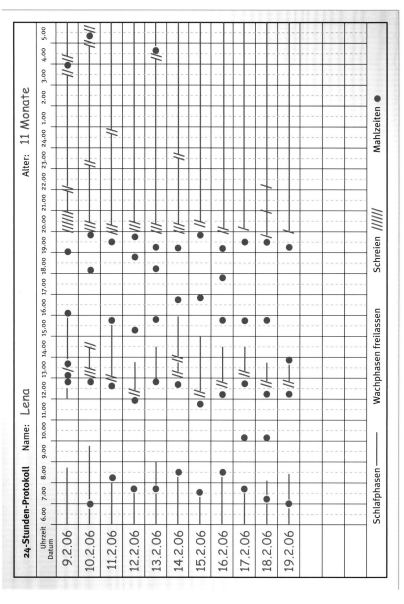

Lenas Schlafprotokoll während dem Schlafenlernen nach Plan

Mein Kind bleibt nicht in seinem Bett

OB EIN KIND BEI SEINEN ELTERN im Bett schlafen sollte oder nicht, wurde bereits im zweiten Kapitel ab Seite 65 diskutiert. Eine neue Situation entsteht, wenn Ihr Kind bereits allein aus seinem Gitterbett herauskommt. Zunächst einmal müssen Sie dafür sorgen, dass Ihr Kind sich beim Herausklettern nicht verletzen kann. Wenn Ihr Kind noch sehr klein ist, können Sie das Ganze vielleicht noch etwas aufhalten, indem Sie die Matratze in die unterste Position bringen und Ihrem Kind einen Schlafsack anziehen. Irgendwann hilft auch das nicht mehr. Sie müssen einige Stäbe aus dem Gitterbett nehmen, so dass Ihr Kind gefahrlos herauskommen kann.

Nun kann Ihr Kind selbst zu Ihnen ins Bett kommen und verlangen, dort weiterzuschlafen. Daraus kann sehr schnell eine Einschlafgewohnheit werden. Wenn sich dadurch niemand gestört fühlt, ist das kein Problem. Wenn Sie aber damit eigentlich nicht glücklich sind oder sogar darunter leiden, bekommt das auch Ihr Kind zu spüren. Dann sollten Sie überlegen, ob Sie nicht die Verantwortung übernehmen und eine Veränderung in Gang setzen wollen, von der letztendlich alle profitieren.

⋯⟶ Ein Türgitter anbringen

Wenn Ihr Kind nicht in seinem Bett bleibt, gibt es die Möglichkeit, die Tür des Kinderzimmers mit einem Türgitter zu versehen. Besonders bei jüngeren Kindern ist das empfehlenswert. Ihr Kind kommt dann zwar aus seinem Bett, aber nicht aus seinem Zimmer heraus. Das ganze Kinderzimmer wird auf diese Weise sozusagen zum Gitterbett erklärt. Sie können dabei ganz normal nach dem Plan zum Schlafenlernen vorgehen: Sollte Ihnen Ihr Kind ängstlich erscheinen, können Sie in Sichtweite bleiben. Alle paar Minuten gehen Sie zu ihm, bringen es zurück in sein Bett und reden kurz beruhigend mit ihm. Dann verlassen Sie das Zimmer wieder, auch wenn Ihr Kind noch weint oder nicht in seinem Bett bleibt.

Bei dieser Methode kann es passieren, dass Ihr Kind nicht in seinem Bett, sondern irgendwie auf dem Fußboden einschläft. Das macht nichts. Immerhin hat es das ohne Ihre Hilfe geschafft. Tragen Sie es vorsichtig in sein Bett und decken es zu. Sie können sicher sein: Bald wird Ihr Kind sein gemütliches Bett dem Fußboden als Schlafplatz vorziehen.

⋯⟩ Zurück ins eigene Bett

Nicht immer lässt sich die Methode mit dem Türgitter umsetzen. Ältere Kinder und kleine »Klettergenies« lassen sich davon nicht aufhalten. Dann kommt die Methode »Zurück ins eigene Bett« in Frage. Sie führt fast immer zum Erfolg, ist aber nicht ganz einfach. Sie sollten nur nach dieser Methode vorgehen, wenn Sie ganz sicher sind: Unser Kind kommt nur aus Gewohnheit zu uns, es wird nicht von Angst oder Panik getrieben. Zu diesem Thema finden Sie mehr im vierten Kapitel ab Seite 140.

Zurückbringen – so oft wie nötig

Als Carolas Mutter zur Beratung kam, war Carola vier Jahre alt. Bis zum dritten Lebensjahr hatte sie keine Probleme mit dem Schlafen. Sie gehörte zu den »Murmeltieren«, schlief viel, ging gern in ihr Bett und schlief meist durch. Eineinhalb Jahre zuvor war sie mit ihrem Vater zehn Tage im Urlaub gewesen und hatte bei ihm im Bett geschlafen. Zu Hause behielt sie diese Gewohnheit bei. Zwar ließ sie sich abends problemlos in ihr eigenes Bett bringen. Nach der ersten Tiefschlafphase – also zwischen 22 und 23 Uhr – wurde sie aber wach und krabbelte ins Ehebett, auf Papas Seite.

Carolas Vater hatte nichts dagegen. Seine Frau fühlte sich dadurch jedoch stark belastet. Die Enge im Bett und die unruhigen Bewegungen ihrer Tochter beeinträchtigten ihren Schlaf. Noch mehr litt sie darunter, dass sie niemals mehr im Schlafzimmer mit ihrem Mann ungestört sein konnte. Daher versuchte sie seit mehreren Wochen, ihre Tochter nachts in ihr eigenes Bett zu bringen, ungefähr sechs- bis zehnmal pro Nacht. Jedes Mal kam Carola zurück. Irgendwann gab ihre Mutter auf. Letztendlich eroberte sich Carola doch immer den Platz neben ihrem Vater. Die Mutter war frustriert, dass sie es nicht geschafft hatte. Sie war enttäuscht, dass sie bei ihrem Mann keine Unterstützung fand. Das drückte auf ihr Selbstvertrauen und belastete die Ehe.

Nach dem Beratungsgespräch schaffte es Carolas Mutter, eine Veränderung in Gang zu setzen. Zuerst redete sie ernst und eindringlich mit ihrem Mann. Sie machte ihm klar, wie sehr die Situation sie selbst und ihre Beziehung zu ihm belastete. Daraufhin erklärte er sich bereit, mit ihr an einem Strang zu ziehen. Er übernahm es, Carola immer wieder in ihr Bett zurückzubringen. Carola war sehr beeindruckt. Sie merkte: Diesmal habe ich keine Chance, meine Eltern gegeneinander auszuspielen. Papa macht dasselbe wie Mama!

Trotzdem waren die ersten beiden Nächte aufreibend. 20- bis 30-mal wurde Carola ruhig, aber bestimmt von ihrem Vater in ihr Bett zurückgebracht. Jedes Mal schlief sie letztendlich allein in ihrem Bett ein. Am dritten Tag kam sie noch sechsmal. Nach zwei Wochen hatte sie mehrmals durchgeschlafen. Jede zweite Nacht rief sie noch ein- bis zweimal, weil sie ihren Teddy suchte, konnte aber allein wieder einschlafen. Morgens war sie stolz auf sich, weil sie es geschafft hatte. Sie durfte sich dann einen Aufkleber aussuchen und ihn auf ein Blatt Papier kleben. Für die ersten fünf Aufkleber bekam sie eine kleine Belohnung. Carolas Mutter erlebte ihre Tochter ausgeruhter und ausgeglichener. Sie war sehr froh über die neue Situation.

An Carolas Geschichte werden einige wichtige Voraussetzungen für eine erfolgreiche Veränderung von Schlafgewohnheiten deutlich:

- Beide Eltern müssen ganz sicher sein, dass sie an der Situation etwas ändern wollen. Das Kind sollte spüren, dass beide Eltern an einem Strang ziehen und dass sie es wirklich ernst meinen.
- Der »Umzug« ins eigene Bett sollte nicht als Bestrafung, sondern als Verbesserung der bisherigen Situation dargestellt werden. Eine Erklärung könnte lauten: »Papa und ich haben überlegt, dass wir etwas anders machen müssen. Wir haben dich sehr lieb und kuscheln sehr gern mit dir. Aber das Bett ist einfach zu eng für uns drei, und du drehst dich nachts ordentlich hin und her. Ich habe schon seit Wochen schlecht geschlafen und bin immer müde. Manchmal lasse ich meine schlechte Laune dann an dir aus. Deshalb haben wir entschieden: Du schläfst von heute an in deinem Bett. Wenn du nachts kommst, bringen wir dich wieder in dein eigenes Bett zurück. Es dauert nicht lange, bis du dich da genauso wohl fühlst. Dann geht es uns allen besser.«
- Die meisten Kinder sind stolz, wenn sie es geschafft haben. Sie empfinden es als ein Stück Selbstständigkeit, wenn sie allein in ihrem Bett gut zurechtkommen. Sie fühlen sich »groß«. Natürlich freuen sie sich zusätzlich über Lob. Auch eine kleine Anerkennung kann hilfreich sein, etwa ein Aufkleber für jede im eigenen Bett verbrachte Nacht. Eine vereinbarte Anzahl Aufkleber kann später, wie bei Carola, in eine kleine Belohnung umgetauscht werden. Seien Sie aber zurückhaltend: Belohnungen sollten nur als Unterstützung eingesetzt werden. Das Versprechen einer noch so attraktiven Belohnung allein hat wohl noch kein einziges Kind dazu bewogen, auf Dauer ins eigene Bett umzuziehen.

So war das nicht geplant ...

Zum Thema Belohnung noch eine kleine Geschichte: Die Mutter des dreieinhalbjährigen Tobias wollte ihren Sprössling dazu bringen, in seinem eigenen Bett zu schlafen. Sie versprach: »Wenn du dreimal hintereinander in deinem Bett bleibst, bekommst du ein tolles Auto.« Es klappte. Tobias blieb in seinem Bett. Er bekam das Auto. In der vierten Nacht aber krabbelte er zu seiner Mutter ins Bett mit den Worten: »Mami, das Auto habe ich ja gekriegt. Jetzt will ich wieder bei dir schlafen.«

···▸ Grenzen setzen: die Auszeit

Manche Eltern kommen mit der Methode »Zurück ins eigene Bett« nicht zurecht. Sie sagen: »Unser Kind bleibt überhaupt nicht in seinem Bett. Es steht sofort wieder auf und kommt zu uns. Das würde zum Katz-und-Maus-Spiel ausarten.« Andere haben einfach nicht die Kraft und die Geduld, ihr Kind immer wieder zurückzubringen. Auch diese Familien brauchen einen hilfreichen und wirksamen Rat.

Wenn alle Versuche fehlgeschlagen sind und die Harmonie in der Familie stark gestört ist, empfehlen wir einen genauen Verhaltensplan. Er ähnelt unserem Plan zum Schlafenlernen. Eine entscheidende Rolle spielt aber diesmal die Kinderzimmertür. Durch ihr eigenes Verhalten kontrollieren die Kinder, ob die Tür geöffnet bleibt oder für kurze Zeit geschlossen (nicht abgeschlossen!) wird. Fast alle Kinder möchten lieber, dass die Tür offen bleibt. Das können sie ganz einfach erreichen, indem sie in ihrem Bett bleiben. Die wesentlich unangenehmere Folge – die Tür wird für kurze Zeit zugemacht – tritt bei der anderen Möglichkeit ein: wenn das Kind nicht in seinem Bett bleibt, sondern aufsteht und im Zimmer herumläuft.

Die Methode ist nichts anderes als die in der Fachsprache »time out« genannte Auszeit, die in vielen Elternratgebern beschrieben wird und die Sie als Eltern vielleicht schon selbst mit gutem Erfolg bei Ihren Kindern angewandt haben. Eine Auszeit ist zum Beispiel in den folgenden Situationen angebracht:

- Ihr Kind hat einen Trotzanfall, weil es etwas nicht bekommt. Es schreit oder schlägt um sich und ist nicht ansprechbar ...
- ... oder es tritt, kratzt oder beißt das kleinere Geschwisterkind ...
- ... oder es wirft absichtlich mit Essen herum.

Fast alle Eltern sind sich einig, dass sie ein solches Verhalten auch bei einem zwei- bis vierjährigen Kind nicht akzeptieren können.

Sie wollen ihrem Kind klarmachen: »So geht es nicht. Jetzt hast du eine Grenze überschritten. Das kann ich nicht zulassen.« Erklärungen und Diskussionen bringen in solchen Situationen gar nichts. Wenn Eltern in ihrer verzweifelten, hilflosen Wut ihr Kind anschreien oder sogar schlagen, wissen sie meist selbst: Damit können sie vielleicht ihren Ärger abreagieren. Aber für die Beziehung zu ihrem Kind ist es ganz schlecht, und es hilft auch nicht weiter.

Wenn Sie Ihr Kind »einfach« ignorieren, kann das auch keine Lösung sein: Sie überlassen ihm damit die Entscheidung und die Verantwortung dafür, welches Verhalten akzeptabel ist. Damit würden Sie es überfordern und ihm die Botschaft übermitteln: »Du bist mir gleichgültig.« Der Kampf um Aufmerksamkeit wird dadurch erst recht angefacht. Ihr Kind wird so lange mit dem auffälligen Verhalten fortfahren, bis Sie sich ihm wieder zuwenden. Es zieht daraus den Schluss: »Ich muss mich besonders auffällig benehmen, damit ich beachtet werde.« Es bleibt eigentlich nur eine zumutbare Erziehungsmaßnahme: die Auszeit.

Wie die Auszeit funktioniert

- Die Auszeit ist eine kurzfristige räumliche Trennung zwischen Mutter (oder Vater) und Kind. Das Kind wird in der anderen Ecke des Zimmers auf einen Stuhl gesetzt, etwa mit den Worten: »So geht das nicht. Du bleibst jetzt erst einmal hier sitzen«. Wenn das nicht klappt, muss das Kind in ein anderes Zimmer gehen oder gebracht werden. Das kann das Nachbarzimmer sein oder auch das Kinderzimmer. In der Regel wird eine Tür dazwischen zugemacht und notfalls auch zugehalten. Statt einer Tür kann bei einem jüngeren Kind auch ein Türgitter oder ein Laufstall verwendet werden.

- Entscheidend ist, dass diese Auszeit nur sehr kurz sein darf. Nach zirka einer Minute wird die Tür geöffnet oder dem Kind durch das Türgitter ein Friedensangebot gemacht: »Ist es jetzt wieder gut?« Nur, wenn es mit seinem inakzeptablen Verhalten unvermindert oder verstärkt fortfährt, wird die Tür noch einmal kurz geschlossen.

- Viele Kinder beruhigen sich sehr schnell. Andere »flippen« regelrecht aus und trommeln mit Fäusten oder Gegenständen gegen die Tür. Am besten ist es, den Lärm zu ignorieren.

Die Auszeit ist beendet, wenn sich das Kind beruhigt hat. Bis dahin wird sie immer wieder durch ein Friedensangebot unterbrochen und wenn nötig um je ein bis zwei Minuten verlängert.

- Die Wartezeit, bis Sie wieder zu Ihrem Kind hineingehen, können Sie auf wenige Minuten steigern. Drei Minuten sind aber genug. Länger brauchen Sie nicht zu warten.
- Eine Auszeit soll keine Strafe sein. Eltern setzen mit der kurzen räumlichen Trennung eine Grenze. Dieser Zustand ist für ein Kind zwar nicht angenehm, kann ihm aber keinen psychischen Schaden zufügen. Sobald es Ansätze zeigt, sich aus eigener Kraft zu beruhigen, können die Eltern es loben und unterstützen. Das Kind hat die Wahl: Durch sein eigenes Verhalten kann es sehr schnell wieder einen positiven Kontakt zur Mutter oder zum Vater herstellen. Durch inakzeptables Verhalten bewirkt es dagegen nur eine Verlängerung der unangenehmen räumlichen Trennung.

Angst oder Machtkampf?

Wir haben die Methode der Auszeit deshalb so ausführlich erläutert, weil auch beim Zubettgehen zwischen Eltern und Kindern oft Machtkämpfe ausgetragen werden; das Verhalten des Kindes kann auch am Abend oder in der Nacht inakzeptabel oder provokativ sein und eine Auszeit erforderlich machen. Ihr Kind zögert möglicherweise nur deshalb das Abendritual immer weiter hinaus und landet regelmäßig im Elternbett, weil es im Machtkampf Sieger bleibt und Sie als Eltern das Grenzensetzen resigniert aufgegeben haben. Dann, und nur dann, empfehlen wir Ihnen, nach dem Plan auf der nächsten und übernächsten Seite vorzugehen.

Wenn Ihr Kind jedoch unter Ängsten, Albträumen oder Schmerzen leidet, würde ein Vorgehen nach dem Plan seine Beschwerden noch verschlimmern. Es braucht dann Ihre volle Unterstützung und vielleicht auch einen Platz in Ihrem Bett. Wenn Sie nicht sicher sind, wo die Ursachen liegen, reden Sie mit Ihrem Kinderarzt oder einem anderen vertrauenswürdigen Experten darüber.

Tür auf – Tür zu

Wenn Ihr Kind jünger als zwei Jahre ist oder Ihnen ängstlich erscheint, verwenden Sie vorzugsweise ein Türgitter. Für Kinder ab zwei mit einem guten Sprachverständnis, die keine Trennungsangst haben, eignet sich jedoch die Methode »Tür auf – Tür zu«. Auch sie wurde ursprünglich von Professor Ferber (siehe Seite 14) entwickelt. Wir haben seinen Plan allerdings in einem sehr wichtigen Punkt verändert: Die Tür bleibt nie länger als drei Minuten lang geschlossen – im Gegensatz zu der von Professor Ferber empfohlenen Zeit von bis zu 20 Minuten.

WAS WIRKT

Tür auf – Tür zu

- Erklären Sie Ihrem Kind zunächst, dass es von nun an in seinem eigenen Bett schlafen wird. Begründen Sie auch kurz, warum Sie dies für erforderlich halten. Vielleicht kann es Ihre Gründe noch nicht einsehen – das wäre wohl auch zu viel verlangt. Ihr Kind darf aber auf keinen Fall das Gefühl haben, bestraft oder zurückgewiesen zu werden. Es sollte sich Ihrer Zuwendung und Unterstützung immer sicher sein. An der Art und Weise, wie Sie mit Ihrem Kind reden, spürt es außerdem sehr deutlich: Meinen Sie es wirklich ernst – oder könnte ein Machtkampf Erfolg versprechend sein?

- Bringen Sie Ihr Kind nach dem üblichen Abendritual ins Bett. Lassen Sie die Tür geöffnet mit den Worten: »Bleib in deinem Bett, dann bleibt die Tür offen.«

- Sollte Ihr Kind sofort aus seinem Bett herauskommen, bringen Sie es wieder zurück. Diesmal schließen Sie die Tür. Sie bleiben an der Tür stehen und warten die in dem Zeitplan auf Seite 124 angegebene Zeitspanne ab, bis Sie wieder zu Ihrem Kind hineingehen. Halten Sie die Zeit ein, auch wenn Ihr Kind schon vorher zurück in sein Bett geht. Sie können aber durch die Tür mit dem Kind sprechen und ihm sagen, wann Sie die Tür wieder öffnen werden.

- Wenn Sie nach dem Zeitplan die Tür öffnen und das Kind in seinem Bett ist, reden Sie kurz mit ihm. Sie können es loben und liebkosen. Wenn Sie den Raum verlassen, bleibt in diesem Fall die Tür offen. Ist Ihr Kind aber nicht in seinem Bett, bringen Sie es dorthin zurück (aber nicht mit Gewalt!), schließen die Tür, bleiben an der Tür stehen und warten die in dem Plan angegebene Zeit ab. Jedes Mal erklären Sie: »Bleibst du im Bett, bleibt die Tür offen.« Wenn sich Ihr Kind leicht ins Bett bringen lässt und Sie sicher sind, dass es auch dort bleibt, können Sie die Tür auch direkt geöffnet lassen. Wenn das aber nicht geklappt hat, machen Sie den gleichen Fehler lieber nicht noch einmal.

- Wenn Sie nach dem Zeitplan bei einer Wartezeit von drei Minuten angekommen sind, bleiben Sie bei dieser Zeitspanne, bis Ihr Kind endgültig in seinem Bett liegen bleibt.

Der Zeitplan

Hier sehen Sie auf einen Blick die Anzahl der Minuten, während der die Zimmertür geschlossen bleibt, falls Ihr Kind nicht in seinem Bett bleibt.

Tür zu:	1. Mal	2. Mal	3. Mal	4. Mal	jedes weitere Mal
1. Tag	1 Min.	2 Min.	3 Min.	3 Min.	3 Min.
2. Tag	2 Min.	3 Min.	3 Min.	3 Min.	3 Min.
ab 3. Tag	3 Min.	3 Min.	3 Min.	3 Min.	3 Min.

Ihr Kind kontrolliert auf diese Weise durch sein Verhalten selbst, was geschieht. Bleibt es im Bett, bleibt die Tür offen. Steht es auf, bleibt die Tür für kurze Zeit zu. Kinder begreifen diesen Zusammenhang sehr schnell. Wenn Sie konsequent bleiben, bleibt Ihr Kind mit großer Wahrscheinlichkeit nach wenigen Tagen in seinem Bett.

Bitte beachten Sie:

- Vermeiden Sie in jedem Fall Drohungen und Schimpfen. Ihr Kind sollte spüren, dass Sie ihm helfen wollen, eine schwierige Zeit durchzustehen. Es braucht Unterstützung, nicht Strafe.

- Bei älteren Kindern, etwa ab drei Jahren, können Sie die Motivation durch einen Belohnungsplan erhöhen. Beispielsweise können Sie dem Kind für jedes Im-Bett-Bleiben eine kleine Belohnung geben. Eine andere Möglichkeit wäre, dass das Kind auf diese Weise Punkte sammeln kann (zum Beispiel gemalte Sternchen oder Aufkleber), die es später gegen eine etwas größere Belohnung eintauschen darf.

Ein typischer Verlauf

Die Geschichte der kleinen Lina zeigt, wie die zuvor beschriebene Vorgehensweise in der Praxis aussehen kann.

> Lina (vier Jahre) konnte zu keiner Zeit allein in ihrem Bett einschlafen. Linas Vater musste sich abends mit in ihr Bett legen und eine halbe bis eine Stunde warten, bis sie eingeschlafen war. Nachts kam sie ins Elternbett und verbrachte dort drei bis acht Stunden. Sie schlief aber sehr unruhig und war oft bis zu eineinhalb Stunden wach. Beim Einschlafen spielte sie an Mamis Mund oder an Papis Bart, was beide unangenehm fanden.

Linas Eltern waren liebevoll und engagiert. Aber allmählich fühlten sie sich verärgert und hilflos, weil sie die Situation nicht in den Griff bekamen. Linas Mutter war sicher: Unsere Tochter hat keine Ängste. Sie kann sich unserer Liebe und Fürsorge sicher sein. Aber Lina hatte beim Abendritual und nachts bisher immer ihren Willen durchgesetzt. Aus ihrer Sicht bestand kein Grund, ihre Gewohnheiten aufzugeben.

Linas Mutter entschied sich für den Verhaltensplan mit der »Tür-auf-Tür-zu-Methode«. Sie erklärte ihn in aller Ausführlichkeit der Oma. Lina stand dabei und hörte zu. Sie hörte auch Omas Kommentar: »Bist du sicher, dass du das deinem Kind zumuten willst?« Und sie hörte Mutters Antwort: »Ja. So, wie es jetzt ist, kann es nicht weitergehen. Ich muss etwas tun, und eine bessere Lösung als diese weiß ich nicht.«

Vom ersten Tag an akzeptierte Lina ohne jede Auseinandersetzung, dass sie allein in ihrem Bett einschlafen sollte. Die Eltern waren sehr überrascht. In der ersten Nacht schlief Lina sogar durch. Während der nächsten Nächte wurde sie jeweils einmal zurückgebracht ins eigene Bett. Die Tür musste nie länger als insgesamt fünf Minuten geschlossen bleiben. Zwei Wochen später kam Lina noch ab und zu, meist unbemerkt, ins Elternbett. Während der meisten Nächte blieb sie aber im eigenen Bett und war sehr stolz darauf. Die Entschiedenheit ihrer Mama – von der Oma auf die Probe gestellt – hatte sie sehr beeindruckt. Sie bewirkte, dass der befürchtete Machtkampf so gut wie nicht stattfand.

⋯⋗ Eigene Lösungen

Nicht für alle Eltern und Kinder kommt die »Tür-auf-Tür-zu-Methode« in Frage. Wenden Sie sie niemals gegen Ihre eigene Überzeugung an! Es gibt auch andere Wege, die zum Erfolg führen. Sie erfordern etwas mehr Kraft und Geduld, und Fortschritte werden langsamer sichtbar. Vielleicht gehören Sie zu den Eltern, die noch über gute Nerven und viel Geduld verfügen. Oder Sie vermuten, bei Ihrem Kind spielen doch Ängste oder Probleme eine Rolle. Oder Ihr Kind hat eine schwere Krankheit hinter sich gebracht. Gleichzeitig sind Sie sicher: Es wäre für die ganze Familie besser, wenn das Kind nachts in seinem Bett bleibt. Dann können Sie vielleicht eigene, kreative Lösungen finden, um dies allmählich zu erreichen.

»Brauchst du mich? Dann bleibe ich!«

Der sechsjährige Christian war zwei Jahre lang schwer krank gewesen. Zahlreiche Krankenhausaufenthalte wechselten mit Zeiten, in denen er zu Hause war. Er musste dort fast rund um die Uhr beobachtet werden und brauchte auch nachts Medikamente. Während dieser Zeit gab es nur eine Lösung: Christian schlief bei seinen Eltern im Bett.

Die Eltern nahmen die durchwachten Nächte gern in Kauf; denn sie wussten: Unser Sohn braucht jetzt unsere Nähe. Wir können ihm auf diese Weise helfen. Christian wurde wieder gesund. Er brauchte keine Medikamente mehr und konnte seinem Alter entsprechend eingeschult werden. Die Eltern wollten ihn allmählich wieder an ein normales Leben heranführen. Sie fanden es für seine Entwicklung wichtig, dass er mehr Eigenständigkeit und Selbstvertrauen entwickelte. Dazu gehörte ihrer Meinung nach, dass er wieder in seinem eigenen Bett schlief. Er wollte selbst gern, traute es sich aber nicht recht zu.

Zusammen mit Christian und seiner Mutter fanden wir die folgende Lösung: Christian wurde abends in sein eigenes Bett gebracht. Nach der ausführlichen Gutenachtgeschichte blieb die Mutter in seinem Zimmer sitzen, bis er eingeschlafen war. Sie nahm sich eine Leselampe und etwas zu lesen mit. So konnte sie die Zeit auch für sich nutzen. Wenn Christian nachts wach wurde, versuchte er erst einmal, allein wieder einzuschlafen. Klappte es nicht, weckte er seine Mutter. Sie brachte ihn zurück ins Bett, blieb aber wieder wortlos auf dem Stuhl in seinem Zimmer sitzen, bis er eingeschlafen war. Das konnte zwei- bis dreimal pro Nacht passieren und bis zu 45 Minuten lang dauern. Denn Christian wusste ja: Wenn ich einschlafe, geht Mami raus. Der Mutter war dieser Zusammenhang klar. Wichtiger war ihr aber, ihrem Sohn zu zeigen: »Ich bleibe hier, solange du mich brauchst.« Jeden Tag rückte sie ihren Stuhl ein kleines Stück weiter weg vom Bett. Falls Christian zwischendurch aufgestanden wäre oder angefangen hätte zu quengeln oder zu diskutieren, hätte sie den Raum für kurze Zeit verlassen. Dazu kam es jedoch nicht. Nach einer Woche sagte Christian zum ersten Mal: »Mama, du kannst jetzt gehen.«

Es dauerte fast vier Wochen, bis sie es geschafft hatten. Christian schlief nun allein ein und blieb meist in seinem Bett. Wenn er Angst hatte oder von einem Albtraum geweckt worden war, durfte er zu seinen Eltern ins Bett kommen. Es kam recht selten vor.

Christian bekam einige Wochen lang für jede allein im Bett verbrachte Nacht eine kleine Belohnung. Das machte ihm Spaß und erhöhte seine Motivation. Christian war sehr stolz auf sich. Seine Mutter hatte in diesen Wochen noch einmal viel Kraft und Geduld investiert. Sie spürte aber, dass es für ihren Sohn gut war, und sie hielt durch. Der Erfolg stärkte ihr Selbstvertrauen.

Therapeutische Geschichten

Bei einigen Kindern wirken Geschichten Wunder. Ich nenne Sie »therapeutische Geschichten« und arbeite in meiner Praxis oft damit. In solchen Geschichten können die Kinder sich selbst wiedererkennen, und es wird ihnen eine Lösungsmöglichkeit angeboten (siehe Buchtipp »Jedes Kind kann Krisen meistern« auf Seite 171). Im Anhang

auf Seite 168 finden Sie so eine Geschichte zum Thema Schlafen. Sie können sie so vorlesen, wie sie ist. Sie können sie aber auch so verändern, dass sie so genau wie möglich zu Ihrem Kind passt. Dann wirkt sie noch besser.

»Wo ist mein Bett ...?«
Die Mutter des dreijährigen Benjamin setzte eine von mir halb scherzhaft geäußerte Empfehlung mit Erfolg in die Tat um. Die Empfehlung lautete: »Wenn Ihr Kind ohnehin immer im Elternbett schläft, bauen Sie doch das Kinderbett ganz ab und verbannen es in den Keller mit den Worten ›Dein Bett brauchst du ja nicht. So hast du mehr Platz zum Spielen.‹ Das Kind muss nun in Ihrem Bett schlafen, es hat keine Wahl mehr.«

Jedes Kind findet in der Regel alles besonders interessant, was es gerade nicht hat. Daher ist es nicht ganz unwahrscheinlich, dass es nach einiger Zeit den Wunsch äußert, wieder ein eigenes Bett zu bekommen. Wenn der Wunsch vom Kind selbst kommt, brauchen Sie keinen Druck auszuüben. Benjamins Mutter hat das Problem auf diese elegante Art und Weise in den Griff bekommen. Eine Erfolgsgarantie gibt es für diese Methode allerdings nicht.

Einwände und Bedenken

WENN WIR IN VORTRÄGEN oder Einzelgesprächen unseren Plan zum Schlafenlernen vorstellen, gibt es in der Regel vier verschiedene Reaktionen.

Die mit Abstand größte Gruppe von Eltern ist froh, konkrete und Erfolg versprechende Hinweise zu bekommen. Der Zusammenhang zwischen Gewohnheiten und Schlafstörungen, wie er in diesem Buch beschrieben ist, leuchtet ihnen ein. Sie sind bereit, sich und ihrem Kind für kurze Zeit ein gewisses Maß an Stress zuzumuten, damit sich auf lange Sicht die Situation für alle erheblich verbessert.

Es gibt eine zweite, zum Glück recht kleine Gruppe von Eltern. Meist sind die Betroffenen die Mütter. Sie sind von monatelangem Schlafentzug, vom extrem häufigen Aufstehen, Fläschchenmachen, Stillen, von außerordentlich langen Schrei-Zeiten ihrer Babys sehr erschöpft und gestresst. Von ihnen hören wir: »Bitte sagen Sie mir, was ich tun soll – egal was. Schlimmer kann es gar nicht werden.« Sie würden in ihrer Verzweiflung fast jeden Rat annehmen. Da sie mit den Nerven schon ziemlich am Ende sind, ist für sie eine schnell wirksame Hilfe besonders wichtig.

Für die dritte Gruppe wiederum trifft das Gegenteil zu: Einige Mütter empfinden wenig Stress, obwohl ihr Kind sie viele Monate lang jede Nacht mehrmals weckt. Warum sollten sie an ihrer Situation etwas ändern, wenn sie sich damit gut und ausgeglichen fühlen und sich dem Kind jederzeit freudig zuwenden können? Wenn es den Eltern gut damit geht, geht es dem Kind auch gut. Gegen die eigene Überzeugung nach dem Plan zum Schlafenlernen vorzugehen, nur damit das Kind besser oder länger schläft – davon raten wir ab.

Die vierte Gruppe von Eltern äußert ernst zu nehmende Bedenken: »Darf ich bei meinem Kind den Willen brechen?« Kann ich sicher sein, dass ich ihm keinen seelischen Schaden zufüge? Kann ich sicher sein, dass die Beziehung zwischen mir und meinem Kind nicht belastet wird? Kann das Urvertrauen zerstört werden, wenn ich mein Kind nicht jedes Mal sofort beruhige?«

⋯⊹ Bedenken und Nutzen abwägen

Diese Ängste und Bedenken sind sehr verständlich. Aber auch wenn Sie nichts tun, zahlen Sie einen Preis. Denken Sie einmal über Folgendes nach:

- Was passiert, wenn alles so bleibt, wie es ist?
- Wie wird es weitergehen, wenn sich die Gewohnheiten Ihres Kindes nicht verändern?
- Wie wird es weitergehen, wenn Ihr Kind Sie weiterhin weckt und Sie jedes Mal aufstehen und etwas tun müssen, damit es aufhört zu weinen – bis zu fünfmal in jeder Nacht?
- Was haben die schlaflosen Nächte für einen Einfluss auf Ihre Gefühle Ihrem Kind gegenüber?
- Sind Sie sicher, dass die Beziehung zwischen Ihnen und Ihrem Kind nicht belastet wird?
- Ist Ihre Partnerschaft durch die gegenwärtige Situation belastet? Durch monatelangen Schlafentzug entsteht bei Müttern und Vätern oft großer Leidensdruck. Partnerschaftsprobleme können auftreten oder werden verstärkt. Hilflosigkeit und Überforderung der Eltern haben auch für das Kind Auswirkungen.
- Eine besonders schwerwiegende Folge sind Depressionen bei der jungen Mutter. Manchmal werden auch Aggressionen ausgelöst. Es ist schwer, sich solche Gefühle einzugestehen. Manche Eltern machen sich Luft durch »spaßig« gemeinte Äußerungen wie »Ich würde ihn am liebsten zur Adoption freigeben!« oder »Ich könnte sie an die Wand klatschen!«. Manche haben Schuldgefühle, weil sie ihr Baby oder Kleinkind in ihrer Hilflosigkeit und Überforderung schon einmal kräftig geschüttelt oder sogar geschlagen haben.

Solche Reaktionen sind bedauerlich. Aber sie sind Realität. Diesen Eltern helfen Ratschläge mit erhobenem Zeigefinger überhaupt nicht weiter. Solche Ratschläge beginnen meist mit »Du darfst niemals«, zeigen aber nicht auf, wie die Probleme stattdessen gelöst werden können. Solche Ratschläge können Schuldgefühle verursachen und dazu beitragen, dass sich Eltern noch unsicherer fühlen.

Ihr Kind braucht aber nicht nur Ihre Liebe und Zuwendung, sondern auch Ihre Sicherheit. Verzweifeltes Nachgeben kann nicht besser sein als liebevolles, bestimmtes Grenzensetzen. Nach unserer Überzeugung erlebt Ihr Kind keine Trennungsangst, wenn Sie immer nach wenigen Minuten zu ihm hineingehen oder sogar mit ihm im Zimmer bleiben und mit liebevoller, fester Stimme mit ihm reden.

Sie lassen Ihr Kind nicht im Stich, wenn Sie nach dem Plan zum Schlafenlernen vorgehen. Sie helfen ihm, etwas zu tun, was es tun kann: ungestört schlafen.

Der Preis der Nachgiebigkeit

Verzweifeltes Nachgeben oder gegen die eigene Überzeugung zu tun, was das Kind will – das bringt zwar kurzfristig Ruhe und Erleichterung. Aber es hat auch seinen Preis.

Dazu ein Beispiel. Jeder kennt diesen klassischen Konflikt: Mutter und Kind sind im Supermarkt. Das Kind will Schokolade. Die Mutter findet das nicht angebracht und sagt Nein. Daraufhin schreit das Kind. Es wirft sich vielleicht sogar auf den Boden. Nun hat die Mutter zwei Möglichkeiten.

- Die erste Möglichkeit: Die Mutter kauft ihrem Kind die Schokolade. Dann ist das Kind sofort ruhig. Der Konflikt ist scheinbar gelöst. Aber nur bis zum nächsten Einkauf im Supermarkt, denn das Kind wird beim nächsten Mal wieder schreien. Sein Schreien wurde bei der Gelegenheit schließlich mit Schokolade belohnt. Es wäre sozusagen dumm, das Schreien beim nächsten Mal sein zu lassen.
- Die andere Möglichkeit: Die Mutter bleibt konsequent bei ihrem Nein. Die kurzfristige Folge: Das Kind schreit noch lauter. Die Situation ist sehr unangenehm und bedeutet Stress. Einige Anwesende schauen missbilligend herüber. Auf ihren Gesichtern steht geschrieben: »Aha, ein schreiendes Kind. Also eine unfähige Mutter.«

Die Mutter steht es durch – schweißgebadet, aber äußerlich ruhig. Beim nächsten Mal oder spätestens beim übernächsten Mal wird ihr Kind aber nicht mehr schreien. Es hat gelernt: »Schreien bringt nichts. Meine Mami bleibt fest. Sie weiß, was für mich gut ist und was nicht. Ich brauche es gar nicht noch einmal zu versuchen.« Die Mutter muss in diesem Fall kurzfristigen Stress in Kauf nehmen, um langfristig eine Lösung des Problems zu erreichen. Kaum jemand würde dieser Mutter vorwerfen, sie habe »den Willen ihres Kindes gebrochen«, wenn sie ihm trotz seines heftigen Schreiens keine Schokolade kauft.

Viele Einschlafgewohnheiten sind wie Schokolade: Auf die Dauer kann es nicht sinnvoll sein, den Kindern zu überlassen, wie viel sie wann davon haben wollen.

Selbstvertrauen und Sicherheit der Eltern sind wichtige Voraussetzungen für ein gutes Gedeihen der Kinder. Die meisten Eltern sind sehr wohl in der Lage, verantwortungsbewusst mit den Bedürfnissen ihres Kindes umzugehen. Sie spüren, wann ihr Kind wirklich etwas braucht – und wann es angemessen ist, Grenzen zu setzen.

Ängstliche und kranke Kinder brauchen allerdings besondere Zuwendung. In den beiden folgenden Kapiteln erfahren Sie mehr darüber.

Wenn alle durchschlafen

Stellen Sie sich vor: Es ist neun Uhr abends. Alles ist ruhig. Ihr Kind schläft. Sie haben noch zwei Stunden für sich oder gemeinsam mit Ihrem Partner. Wenn Sie sich ins Bett legen, tun Sie das mit dem Gefühl: »Jetzt kann ich sieben oder acht Stunden ungestört schlafen.« Wäre das für Sie ein Zugewinn an Lebensqualität? Würden Sie sich ausgeruhter, ausgeglichener und besser gegen Stress gewappnet fühlen? Brauchen Kinder nicht starke und ausgeruhte Eltern? Es gibt noch ein weiteres Argument: Nicht nur die Eltern schlafen nach dem Programm zum Schlafenlernen besser. Bedenken Sie: Kinder, die wach ins Bett gelegt werden und allein einschlafen können, schlafen nicht nur durch. Sie schlafen im Schnitt eine ganze Stunde länger. Ist es nicht auch im Interesse der Kinder, ihnen das zu ermöglichen?

Manchmal wird behauptet, dass **Eltern** ihrem Kind aus reinem **Egoismus** das Allein-Einschlafen beibringen. Das ist aber **nicht richtig**. Auch das **Kind** hat etwas davon

Fragen und Antworten

Wir haben Ihnen auf den vorangegangenen Seiten verschiedene Möglichkeiten vorgestellt, wie Sie unseren Plan zum Schlafenlernen in die Tat umsetzen können. Ob Sie eher noch abwarten oder bald damit anfangen wollen, wie konsequent oder wie sanft Sie vorgehen wollen – all das ist Ihre persönliche Entscheidung. Wenn Sie sich jedoch einmal entschieden haben, nach dem Plan vorzugehen, dann sollten Sie es auch konsequent tun. Sonst gehen Sie das Risiko ein, dass sich das Schlafverhalten Ihres Kindes nicht verbessert, sondern eher verschlechtert. Damit Sie so gut wie möglich vorbereitet sind, haben wir auf den folgenden Seiten die wichtigsten und häufigsten Fragen zum Schlafenlernen für Sie zusammengestellt und beantwortet.

Voraussetzungen für den Plan zum Schlafenlernen

Ist der Plan zum Schlafenlernen für alle Eltern und für jedes Kind sinnvoll?
Nein! Es gibt einige Bedingungen. Zunächst einmal muss Ihr Kind mindestens sechs Monate alt und gesund sein. Sie als Eltern müssen einen gewissen Leidensdruck verspüren und fest entschlossen sein, an der Situation etwas zu ändern. Besonders wichtig: Die Beziehung zwischen Ihnen und Ihrem Kind muss intakt sein. Manchmal sind die Eltern einfach überfordert. Sie schaffen es nicht, ihr Kind anzunehmen. Babys reagieren sehr sensibel auf Ablehnung und Zurückweisung. Es kann sein, dass ein Kind nachts schreit, um sich Zuwendung und Aufmerksamkeit der Eltern zu erkämpfen. Unseren Plan könnten wir dann nicht ohne weiteres empfehlen. Wichtiger wäre es in einem solchen Fall, zunächst einmal den Eltern Hilfe anzubieten, damit sie liebevoller auf ihr Kind eingehen können. Manchmal gibt es Eheprobleme oder psychische Schwierigkeiten bei Vater oder Mutter. Einige Eltern haben in ihrer Kindheit Schlimmes durchgemacht und leiden noch immer an den Folgen. Manche Mütter haben die Geburt für sich und ihr Baby als besonders schwierig und traumatisch erlebt. Solchen Eltern kann die innere Sicherheit fehlen, den Plan zum Schlafenlernen umzusetzen – und prompt geht alles schief. Auch in solchen Fällen brauchen die Eltern zusätzlich fachliche Hilfe.

In diesem Buch finden Sie nicht nur einen Plan zum Schlafenlernen, sondern auch »sanfte« Alternativen (ab Seite 100). Wählen Sie aus, was für Sie und Ihr Kind am besten passt.

Zu klein für den Plan zum Schlafenlernen?

Meine Tochter ist knapp drei Monate alt. Sie will jede Nacht mindestens viermal an die Brust. Kann ich ihr nicht jetzt schon beibringen, durchzuschlafen?
Wahrscheinlich nicht! Mit drei Monaten haben viele Kinder noch keinen voll ausgereiften Schlafrhythmus. Sie können Tag und Nacht noch nicht so gut unterscheiden. Perfektes Durchschlafen können Sie deshalb noch nicht von Ihrer Tochter erwarten. Aber eigentlich müsste sie jetzt schon mit einer nächtlichen Mahlzeit auskommen. Bieten Sie Ihr eine feste späte Abendmahlzeit an und versuchen Sie, die Zeit bis zur nächsten Mahlzeit auszudehnen, wie es ab Seite 49 beschrieben wird. Außerdem können Sie Ihr Kind jetzt schon an feste Zeiten bei den Tagesschläfchen und beim Zubettgehen gewöhnen. Und das Wichtigste: Legen Sie Ihre Tochter tagsüber und abends wach in ihr Bett!

? Meine Tochter ist zwei Monate alt und schläft nur an der Brust ein. Wenn ich sie wach ins Bett lege, fängt sie sofort an zu weinen. Wie kann sie lernen, allein einzuschlafen? Für das Schlafenlernen nach Plan ist sie doch noch zu klein!

! Sie haben Recht: Ganz streng nach Plan sollten Sie bei einem so kleinen Baby nicht vorgehen. Ab und zu wird die Kleine beim Stillen sicher noch einschlafen. Aber Sie können allmählich ganz behutsam eingreifen. Legen Sie Ihre Tochter nach und nach immer öfter wach in ihr Bett, auch wenn sie zunächst protestiert. Nach kurzer Zeit gehen Sie zu ihr und trösten sie. Reicht Ihre Anwesenheit nicht aus, können Sie Ihre Tochter kurz auf den Arm nehmen und beruhigen. Rechtzeitig vor dem Einschlafen legen Sie sie aber wieder zurück in ihr Bett. Einschlafen sollte sie möglichst oft dort – allein und ohne Ihre Hilfe.

⋯⋰ Angst vor psychischer Belastung

? Mein Baby ist zehn Monate alt. Bisher habe ich es jedes Mal sofort getröstet, wenn es geweint hat. Allerdings bin ich jetzt total erschöpft. Kann ich meinem Kind mit dem Plan wirklich keinen psychischen Schaden zufügen?

! Zunächst einmal: Ihre Erschöpfung durch die nächtlichen Störungen belastet Sie von Tag zu Tag mehr. Dieser Stress wird sich über kurz oder lang auf Ihr Kind übertragen. Fast alle Eltern, die wir beraten haben, hatten eine enge, vertrauensvolle Beziehung zu ihrem Kind. Fühlt auch Ihr Kind sich bei Ihnen geborgen? Kann es sich Ihrer Liebe und Zuwendung sicher sein? Eine enge, vertrauensvolle Beziehung zwischen Eltern und Kind ist die Voraussetzung. Ist sie vorhanden, können Sie sich und Ihrem Kind für eine kurze Zeit ein gewisses Maß an Stress zumuten. Das Erlernen neuer Gewohnheiten ist für Ihr Kind sicher zunächst nicht angenehm. Eine stabile Beziehung wird dadurch aber nicht gefährdet. Ihr Kind bekommt ja auch während der Umgewöhnungszeit regelmäßig von Ihnen Zuwendung. So können Sie sicher sein, dass es keine Angst bekommt, von Ihnen verlassen zu werden. Und vor allem: Sobald Ihr Kind die neuen Schlafgewohnheiten gelernt hat, geht es Ihnen und Ihrem Kind besser.

⋯⋰ »Mein Kind lässt sich nicht beruhigen«

? Mein Sohn ist neun Monate alt und schläft immer nur auf dem Arm ein. Wie ich ihn kenne, wird er jedes Mal noch wütender schreien, wenn er mich sieht und ich ihn dann nicht auf den Arm nehme. Ist es nicht besser, gar nicht zu ihm zu gehen und ihn stattdessen durchschreien zu lassen?

Es kann sein, dass Sie mit der Methode »Schreienlassen« Erfolg hätten. Wahrscheinlich würde Ihr Sohn nach einigen Tagen das Schreien einstellen, weil es sich für ihn nicht auszahlt. Uns geht es aber immer auch um das Wohl des Kindes. Ihr Sohn könnte Angst bekommen, wenn Sie ihn zu lange allein lassen, während er weint. Das können Sie ausschließen, indem Sie in kurzen Abständen zu ihm gehen und ihm zeigen: »Ich bin da. Es ist alles in Ordnung.« Ihre Anwesenheit kann recht kurz ausfallen, wenn Ihr Sohn mit noch lauterem Schreien reagiert. Bieten Sie ihm aber immer wieder Trost und Zuwendung an.

⋯⋗ Morgens um 5 Uhr klappt der Plan nicht mehr

Unsere Tochter (neun Monate alt) hat es mit Hilfe des Plans geschafft, abends gegen 20 Uhr allein (statt an der Brust) einzuschlafen, und sie schläft nun fast immer durch. Auch die beiden Tagesschläfchen klappen gut. Aber oft wird sie schon morgens um fünf wach und weint sehr lange, bevor sie wieder einschläft – wenn überhaupt. Ich habe kein gutes Gefühl dabei. Was soll ich tun?

Um fünf Uhr morgens ist Ihre Tochter wahrscheinlich noch nicht ganz ausgeschlafen, aber ihr Schlafbedürfnis ist zum größten Teil befriedigt. Es fällt ihr deshalb viel schwerer als sonst, in den Schlaf zu finden. In diesem Fall ist es nicht empfehlenswert, morgens um fünf am Plan festzuhalten, wenn es nach mehreren Tagen noch keine Fortschritte gibt. Beißen Sie lieber in den sauren Apfel und erklären um fünf Uhr die Nacht für beendet. Stehen Sie mit Ihrem Kind auf, behalten aber den normalen Tagesrhythmus mit den üblichen Ess- und Schlafenszeiten bei. Wenn Ihre Tochter nicht gerade zu den extremen Wenigschläfern gehört, wird sich ihre Nachtruhe allmählich von selbst verlängern.

⋯⋗ Nach 14 Tagen noch kein Erfolg

Wir sind mit unserer einjährigen Tochter jetzt schon fast zwei Wochen dabei, konsequent nach dem Plan vorzugehen. Es klappt einfach nicht. Sie weint abends immer noch sehr lange, nachts auch. Sollen wir weitermachen?

Wenn sich nach zwei Wochen noch gar kein Erfolg eingestellt hat, ist es nicht sinnvoll, einfach weiterzumachen. Überlegen Sie: Ist Ihr Kind wirklich gesund? Hat es wirklich keine Schmerzen? Hat es gute Schlafzeiten? Beachten Sie die Regel »Bettzeit = Schlafzeit«. Überlegen Sie: Ist Ihr Kind in den zwei Wochen wirklich immer allein in seinem Bett eingeschlafen? All diese Voraussetzungen müssen erfüllt sein, sonst kann es keinen Fortschritt geben. Vielleicht können

Sie mit dem ausgefüllten Fragebogen aus dem Anhang dieses Buches zu Ihrem Kinderarzt gehen und sich dort noch einmal beraten lassen, oder Sie suchen eine Schrei-Ambulanz in Ihrer Nähe auf (Adressen Seite 172).

⋯⋗ Nach Krankheit von vorn anfangen?

Wir sind mit unserem 18 Monate alten Sohn genau nach dem Plan zum Schlafenlernen vorgegangen. Obwohl er bis dahin jede Nacht mehrere Fläschchen getrunken hatte, klappte es innerhalb weniger Tage. Er schlief zwei Monate lang wunderbar durch. Leider war er jetzt krank. Seitdem bekommt er wieder zwei Fläschchen pro Nacht. Sollen wir nun wieder von vorn anfangen?

Bei jedem Kind kann es durch Krankheit oder eine Urlaubsreise zu einem Rückfall kommen. Eine einzige Nacht reicht manchmal aus, und das Kind will die Ausnahme am liebsten zur Gewohnheit machen. In so einem Fall können Sie durchaus ein zweites Mal (und bei Bedarf noch häufiger) nach dem Plan vorgehen. Meist klappt es schneller als beim ersten Mal. Wahrscheinlich hat das Kind Ihre Konsequenz noch nicht vergessen.

⋯⋗ Nächtliche Mahlzeiten für »schlechte Esser«?

Mein Sohn ist fast zwei Jahre alt und ein ausgesprochen »schlechter Esser«. Deshalb sind wir froh, dass er wenigstens nachts zwei Flaschen Milch trinkt. Leider wird er dadurch auch ziemlich oft wach. Können wir ihm wirklich guten Gewissens die nächtlichen Mahlzeiten abgewöhnen?

Es kann niemals der richtige Weg sein, einem »schlechten Esser« nachts im Halbschlaf die Nahrung einzuflößen, die er tagsüber anscheinend verweigert. Solange Ihr Sohn nachts fast einen halben Liter Milch trinkt, hat er keinen Grund, tagsüber mehr zu sich zu nehmen. Er hat sich den nächtlichen Hunger angewöhnt. Sie sollten ihm Essen und Trinken zu regelmäßigen, festen Zeiten tagsüber anbieten. Fällt die nächtliche Mahlzeit weg, können Sie sicher sein: Ihr Sohn holt sich innerhalb weniger Tage tagsüber das, was er braucht.

⋯⋗ Braucht mein Kind noch einen Mittagsschlaf?

Mein Sohn ist 25 Monate alt. Meiner Meinung nach braucht er noch einen Mittagsschlaf. Seit zwei Wochen lege ich ihn konsequent jeden Mittag für eine Stunde in sein Bett. Zwar weint er in der Zeit nicht mehr, aber er schläft auch nicht. Hat es Sinn, es noch länger zu versuchen?

Wenn Sie nach 14 Tagen wirklich konsequentem Vorgehen bei Ihrem Sohn noch keine Veränderung bemerken, können Sie sicher sein: Ihr Sohn braucht tatsächlich keinen Mittagsschlaf mehr. Es hat keinen Sinn, länger darauf zu bestehen. Einige Eltern berichten aber über ihre guten Erfahrungen mit einer mittäglichen »Ruhepause«. Das Kind wird daran gewöhnt, sich mittags bis zu einer Stunde in seinem Bett oder seinem Zimmer allein zu beschäftigen. Vielleicht kommt diese Möglichkeit auch für Ihren Sohn in Frage.

Abends klappt es – nachts nicht

Unsere Tochter (13 Monate alt) kann seit drei Wochen abends wunderbar allein einschlafen. Aber nachts wird sie immer noch mehrmals wach und will trinken. Nach zwei Uhr früh müssen wir sie zu uns ins Bett holen. Warum schläft sie immer noch nicht durch?

Ihre Tochter hat akzeptiert, dass sie abends kein Fläschchen bekommt und nicht ins große Bett geholt wird. Allein im eigenen Bett einschlafen – das findet sie nun normal. Leider findet sie es aber nachts nach dem Aufwachen immer noch normal, zu trinken und ins Elternbett zu kommen. Sie hat den Unterschied zwischen abends und nachts begriffen. Nachts kann sie ohne Ihre Hilfe noch nicht wieder einschlafen. Das kann sie aber mit Ihrer Unterstützung lernen. Sie können nun auch nachts genau nach dem Plan zum Schlafenlernen vorgehen.

Unser Kind kommt unbemerkt ins Elternbett

Unsere vierjährige Tochter kommt fast jede Nacht zu uns ins Bett. Eigentlich möchten wir das nicht, aber oft merken wir es gar nicht. Was können wir tun?

Wenn Sie es nur »eigentlich« nicht möchten, lassen Sie es lieber, wie es ist. Wenn Sie Ihre Tochter daran gewöhnen wollen, nachts in ihrem eigenen Bett zu bleiben, brauchen Sie Ihre gesamte Entschlusskraft und auch einen gewissen Leidensdruck, sonst halten Sie es nicht durch. Wenn Sie es meist gar nicht merken, haben Sie auch keine Chance, konsequent jedes Mal zu reagieren. Aber nur dann könnten Sie Erfolg haben. Wenn Sie wirklich so weit sind, dass Sie etwas ändern wollen, befestigen Sie eine Glocke oder etwas ähnlich Geeignetes an Ihrer Schlafzimmertür, damit Sie sofort wach werden und Ihre Tochter zurück in ihr Bett bringen können.

DAS WICHTIGSTE AUF EINEN BLICK

···⟩ **Ungünstige Einschlafgewohnheiten können Schlafprobleme verursachen**

- Viele Kinder schlafen regelmäßig mit Schnuller, auf dem Arm, mit den Eltern im Bett, an der Brust oder mit dem Fläschchen ein. All diese Einschlafgewohnheiten können zu Schlafproblemen führen. Denn sie verhindern, dass das Kind lernen kann, allein einzuschlafen.

···⟩ **Allein einschlafen lernen nach Plan**

- Nach unserem Plan lernt Ihr Kind mit Ihrer Hilfe, allein einzuschlafen. Sie legen Ihr Kind wach und allein in sein Bettchen. Falls es schreit, gehen Sie nach einem festen Zeitplan immer wieder zu ihm, damit es keine Angst bekommt. Sie geben ihm aber nicht genau, was es will. Sein Schreien zahlt sich nicht aus. Deshalb hört es rasch damit auf. Das allein einzuschlafen wird zur Gewohnheit. Und vor allem: Es klappt auch nachts. Ihr Baby braucht Sie nicht mehr zu wecken.

···⟩ **Tür auf – Tür zu: Ihr Kind lernt durch sein eigenes Verhalten**

- Wenn Ihr Kind vor dem Einschlafen nicht in seinem Bett bleibt, sondern aufsteht und sein Zimmer verlässt, können Sie ein Türgitter verwenden, Ihr Kind immer wieder zurück in sein Bett bringen oder die »Tür-auf-Tür zu-Methode« anwenden. Das Kind kontrolliert durch sein Verhalten, was geschieht. Bleibt es in seinem Bett, bleibt die Tür offen. Steht es auf, wird die Tür für kurze Zeit geschlossen.

···⟩ **Fragen und Antworten**

- Manche Fragen und Bedenken zum Thema Schlafenlernen werden von betroffenen Eltern besonders oft geäußert. Unsere Übersicht ab Seite 132 hilft Ihnen dabei, eine geeignete Lösung für sich und Ihr Kind zu finden.

4

Schlafstörungen mit besonderen Ursachen

In diesem Kapitel erfahren Sie ...

···▶ wie Sie Schlafwandeln und Nachtschreck bei Ihrem Kind erkennen und wie Sie damit umgehen können

···▶ was Sie bei nächtlichen Ängsten und Albträumen Ihres Kindes tun können

···▶ wie Sie Albträume und Nachtschreck voneinander unterscheiden können

···▶ was beim Schlafenlernen hilft, wenn Ihr Kind mit einem der folgenden Probleme zu tun hat: Kopfschlagen und Schaukeln; Schmerzen; Schlaf-Apnoe; geistige Behinderung

···▶ was wir über den Einsatz von Medikamenten beim Schlafenlernen denken

»Die **Nacht** ist nicht mein **Freund**«: Schlafwandeln, Nachtschreck, Albträume

In den meisten Fällen hängen kindliche Schlafstörungen mit schlechten Einschlafgewohnheiten oder ungünstigen Schlafzeiten zusammen. Ursachen und Möglichkeiten zur Veränderung haben wir eingehend in den vorhergehenden Kapiteln besprochen. Viel seltener sind dagegen Schlafstörungen mit anderen Ursachen, die entsprechend andere Reaktionen der Eltern erfordern.

Schlafwandeln und Nachtschreck

Unvollständiges Erwachen aus dem Tiefschlaf

In der Grafik auf Seite 31 konnten Sie sehen, wie der Schlaf eines mindestens sechs Monate alten Kindes in etwa abläuft. Wir haben dort bereits kurz erläutert: Innerhalb der ersten drei Stunden nach dem Einschlafen kommt es bei allen Kindern ein- bis zweimal zu unvollständigem Erwachen aus dem Tiefschlaf. In der Abbildung (in unserem Beispiel um 21.30 Uhr und 22.30 Uhr) ist dieser Zustand durch Pfeile gekennzeichnet. Bei den meisten Kindern verläuft dies völlig unauffällig. Sie drehen sich vielleicht auf die andere Seite, öffnen kurz die Augen oder murmeln etwas Unverständliches, schlafen aber danach sofort weiter. Das Zurückfallen in den Tiefschlaf gelingt ihnen ohne Probleme.

Zeichnet man mit Hilfe eines EEG die Hirnströme auf, kann man genau beobachten: Beim Auftauchen aus dem Tiefschlaf tritt plötzlich eine Veränderung ein. Wachzustand, Traumschlaf und Tiefschlaf – alle Schlafmuster sind für kurze Zeit miteinander vermischt. Danach wird dieser Mischzustand zwischen Schlafen und Wachen wieder vom Tiefschlaf abgelöst.

Bei ungefähr zehn Prozent der Kinder unter sechs Jahren klappt dieser Wechsel nicht immer reibungslos. Statt schnell in den Tiefschlaf zurückzufallen, bleiben sie manchmal längere Zeit in dem Zustand, gleichzeitig wach zu sein und zu schlafen. Eine ganze Palette von auffälligem Verhalten – vom Sprechen im Schlaf bis zu lang anhaltendem heftigem Schreien, dem so genannten Nachtschreck – ist in diesem Mischzustand denkbar. All das passiert nicht im Traum, sondern beim unvollständigen Erwachen aus dem Tiefschlaf. Sprechen im Schlaf wird noch am ehesten als harmlos empfunden. Schlafwandeln und

Nachtschreck kann die Eltern jedoch stark beunruhigen. Je häufiger und je extremer das auffällige Verhalten auftritt, desto mehr Sorgen machen sich die Eltern um ihr Kind.

Alle auf den folgenden Seiten beschriebenen Verhaltensweisen haben etwas gemeinsam: Bei Kindern unter sechs Jahren gibt es in der Regel keine psychischen Ursachen dafür. Die Kinder haben meistens weder Ängste noch andere tief greifende Probleme. Vielmehr ist der Reifungsprozess ihres Gehirns noch nicht ganz abgeschlossen. Deshalb klappt der Ablauf »Tiefschlaf – unvollständiges Erwachen – Tiefschlaf« nicht völlig reibungslos. Dass der Reifungsprozess bei diesen Kindern erst später abgeschlossen ist als bei den meisten anderen, hat vor allem mit vererbten Anlagen, aber nichts mit einer geistigen Störung zu tun. Falls Ihr Kind von Schlafwandeln oder Nachtschreck betroffen ist, werden Sie sehr wahrscheinlich in der Familie Verwandte finden, die als Kind ähnliche Probleme hatten.

⋯⋗ Schlafwandeln

Beim »ruhigen Schlafwandeln« steht das Kind auf und »geistert« im Zimmer oder in der Wohnung herum. Ein Beispiel dafür ist der völlig schlaftrunkene, unbewusste Gang zur Toilette.

»Ich war's nicht!«

Christoph, unser damals sechsjähriger Sohn, verwechselte einmal nachts die Türen von Bad und Schlafzimmer. Im Schlafzimmer lag auf einem Hocker sein Kassettenrecorder. Im Schlaf machte Christoph den Deckel des Recorders auf, entleerte seine Blase in diese Öffnung, klappte den Deckel wieder zu und ging zurück ins Bett. Am nächsten Morgen konnte er sich an nichts erinnern und stritt alles ab.

Übrigens: Auch das Bettnässen, soweit es innerhalb der ersten ein bis drei Stunden nach dem Einschlafen passiert, hängt eng mit dem unvollständigen Erwachen aus dem Tiefschlaf zusammen.

Ein anderes Beispiel: Eines Morgens war unser Sohn Christoph nicht in seinem Bett. Wir bekamen einen großen Schreck, zumal ausgerechnet in dieser Nacht die Haustür nicht abgeschlossen war. Zum Glück fanden wir ihn im Dachzimmer vor dem Sofa kniend – und fest schlafend.

Sicherheitsvorkehrungen treffen

Es ist möglich, dass Kinder beim ruhigen Schlafwandeln Türen und Fenster öffnen oder sogar über das Balkongeländer klettern.

Der Ausdruck
»schlafwandlerische
Sicherheit« führt leider
in die Irre

Kinder, die schlafwandeln, sind in Gefahr. Sie führen zwar scheinbar sinnvolle und zielgerichtete Bewegungen aus. Aber sie wissen nicht, was sie tun. Denn gleichzeitig schlafen sie.

Wenn Ihr Kind schlafwandelt, sollten Sie vor allem eines tun: Fenster und Türen so sichern, dass es sich nicht in Gefahr begeben und verletzen kann. Manche schlafwandelnden Kinder sind ansprechbar und lassen sich ohne Widerstand zurück ins Bett bringen.

⋯⟩ Nachtschreck

Wird Ihr Kind schon innerhalb der ersten drei Stunden nach dem Einschlafen wach? Treffen zusätzlich mindestens vier der Feststellungen aus dem Fragebogen auf der nächsten Seite zu? Dann hat es wahrscheinlich etwas mit Nachtschreck zu tun. Nachtschreck ist dem Schlafwandeln eng verwandt, jedoch wesentlich besorgniserregender. Der Fachbegriff lautet »Pavor nocturnus« (übersetzt: nächtliche Angst). Wie äußert sich das? Das Kind fängt ein bis vier Stunden nach dem Einschlafen plötzlich an, gellend und durchdringend zu schreien. Im schlimmsten Fall schlägt oder tritt es zusätzlich um sich. Meist lässt es sich kaum anfassen, erst recht nicht beruhigen. Sein Blick geht ins Leere, es scheint Sie nicht zu erkennen. Vielleicht steht es auf und läuft herum, als ob es vor etwas wegrennen wollte. Vielleicht schwitzt das Kind, und sein Herz schlägt heftig. So eine Attacke kann kurz sein, aber auch bis zu 20 oder sogar 30 Minuten dauern. So plötzlich, wie sie begonnen hat, ist sie auch wieder vorbei. Auf einmal entspannt sich das Kind, lässt sich ins Bett bringen und schläft friedlich weiter. Wie beim ruhigen Schlafwandeln kann es sich am nächsten Tag an nichts erinnern.

Schon im Kleinkindalter kann es zu Nachtschreck-Attacken kommen.

Schreie aus dem Kinderzimmer

Marc war fünfzehn Monate alt. Er schlief um 20 Uhr ohne Probleme in seinem Bett ein und wachte morgens um halb acht wieder auf. Die Eltern waren sehr glücklich über ihr ausgeglichenes Kind. Aber etwas beunruhigte sie: Zwei- bis dreimal in der Woche gegen 22 Uhr, kurz bevor sie selbst ins Bett gehen wollten, wurden sie erschreckt durch gellende Schreie aus dem Kinderzimmer.

HAND AUFS HERZ

Hat Ihr Kind Nachtschreck?

Zu welchen Zeiten wird Ihr Kind nachts wach?

Falls Ihr Kind innerhalb der ersten ein bis drei Stunden wach wird und schreit: Was trifft für es zu? Wenn Sie vier oder mehr Punkte ankreuzen können, hat das Aufwachen sicher etwas mit Nachtschreck zu tun.

- ○ Es schreit ganz plötzlich auf
- ○ Es lässt sich sehr schwer beruhigen
- ○ Es scheint nicht richtig wach zu sein
- ○ Es wehrt sich gegen Körperkontakt
- ○ Es schwitzt oder hat Herzklopfen
- ○ Es ist schwer zu wecken

Sie eilten sofort zu ihrem Söhnchen und fanden es im Gitterbett stehend. Marc schrie jedes Mal so durchdringend, dass sie ihn sofort hochnahmen, um ihn zu beruhigen. Er schrie jedoch weiter. Er schmiegte sich nicht an, sondern wehrte sich. Abwesend schaute er an ihnen vorbei, ohne sie richtig wahrzunehmen. Schließlich versuchten sie ihn durch Rütteln und Rufen zu wecken. Es dauerte 10 bis 15 Minuten, manchmal auch länger, bis Marc sich beruhigte. Wurde er dann wach, schaute er seine Eltern verwirrt an und brauchte einige Zeit, bis er wieder einschlafen konnte.

Die Eltern versuchten sich Marcs »Ängste« zu erklären. Sie suchten nach aufregenden Ereignissen oder anderen Erlebnissen, die als Ursache für die Schrei-Attacken in Frage kamen.

Wir erklärten Marcs Eltern, dass Marcs Schrei-Attacken weniger mit besonderen Ereignissen oder Problemen zu tun hatten. Marc gehörte zu den Kindern, die manchmal etwas länger im Zwischenstadium zwischen Schlafen und Wachsein bleiben, bevor sie wieder in den Tiefschlaf fallen. Marc verhielt sich merkwürdig. Er empfand jedoch keine echte Angst. Hätte er wirklich

Angst gehabt, wäre sie nicht jedes Mal von einem Augenblick zum nächsten von selbst verschwunden. Hätte er Trost gebraucht, hätte er sich an seine Eltern gekuschelt, statt sich zu wehren.

Wir konnten Marcs Eltern versichern: Trotz des gellenden Schreiens war Marc weder in Angst noch in Panik. Er war einfach nicht wach. Das Beste, was sie für ihren Sohn tun konnten – und nach der Beratung auch taten – war, Marc zu beobachten und abzuwarten. Wurde der erste vorsichtige Beruhigungsversuch abgewiesen, zogen sich die Eltern zur Kinderzimmertür zurück und schauten durch den Türspalt. Zu ihrem Erstaunen beruhigte sich Marc ohne ihr Eingreifen wesentlich schneller. Sie weckten ihn nicht mehr, sondern betteten ihn in eine bequeme Lage und deckten ihn zu, sobald er von selbst ruhiger wurde. So wurden Marcs Schrei-Attacken kürzer und im Laufe der Zeit auch seltener. Im Alter von drei Jahren traten sie nur noch gelegentlich auf. Die Eltern konnten nun wesentlich gelassener reagieren, weil sie wussten: Unser Sohn hat nichts Schlimmes. Mit der Zeit wird das ungewöhnliche Verhalten von selbst verschwinden.

Ein zweites Beispiel: Oliver war drei Jahre alt. Er machte sich fast jeden zweiten Abend gegen zehn Uhr durch plötzliches lautes Schreien bemerkbar. Manchmal lief er auch durchs Zimmer und murmelte etwas Unverständliches. Die Eltern konnten nur Bruchstücke verstehen, wie »Sie kommen!« oder »Da ist er!«. Besonders beunruhigt waren sie, weil Oliver sie nicht erkannte und ihnen »wie besessen« erschien.

Olivers Eltern versuchten ihn zu wecken. Es war sehr schwierig. Am nächsten Morgen fragten sie ihn, wovor er denn nachts Angst gehabt habe. Aber Oliver konnte sich an nichts erinnern. Er schaute sie nur verständnislos an.

Olivers Eltern bekamen von uns den Rat, ihn niemals am nächsten Morgen auf sein nächtliches Schreien anzusprechen. Durch häufige besorgte Fragen der Eltern können Kinder ängstlich werden. Sie bekommen das Gefühl »Irgendetwas stimmt nicht mit mir.« Sie wissen nicht, wovon die Eltern reden, da sie sich an nichts erinnern können. Dieses unsichere Gefühl kann einem Kind eher schaden und hilft ihm gar nicht, besser zu schlafen. Olivers Eltern bekamen einen zweiten Rat: Da seine Schlafzeit insgesamt nur zehn Stunden betrug, sollten sie Oliver mittags wieder regelmäßig zum Mittagsschlaf ins Bett legen.

Genügend Schlaf und ein regelmäßiger Rhythmus mit festen Zeiten sind für

Kinder wie Marc und Oliver besonders wichtig. Übermüdete Kinder scheinen besonders tief zu schlafen. Der Wechsel zum halbwachen Zustand und wieder zurück zum Tiefschlaf ist dadurch besonders schwierig. Es wird wahrscheinlicher, dass der Übergang nicht klappt. Schlafwandeln oder Nachtschreck können dann als Reaktion auf das »Steckenbleiben« im halbwachen Zustand auftreten. Das trifft aber nur für Kinder zu, die entsprechend veranlagt sind.

WAS WIRKT

Umgang mit Nachtschreck

- Wenn Ihr Kind jünger als sechs Jahre ist und häufig Nachtschreck-Attacken hat, brauchen Sie sich keine Sorgen zu machen. Sehr wahrscheinlich hat es weder ernsthafte Probleme noch eine seelische Störung. Allerdings sollten Sie fachliche Hilfe in Anspruch nehmen, wenn Ihnen Ihr Kind zusätzlich tagsüber sehr ängstlich und angespannt erscheint. Auch wenn Ihr Kind bereits sieben Jahre und älter ist und die Nachtschreck-Attacken immer noch häufig vorkommen, sollten Sie eine professionelle Beratung in Betracht ziehen.

- Kindern unter sechs Jahren hilft man am besten, indem man nichts tut. Wenn Ihr Kind sich nicht beruhigen lassen will, ziehen Sie sich zurück und warten ab. Zur Sicherheit können Sie es während der Schrei-Attacken beobachten.

- Wecken Sie Ihr Kind nicht. Fragen Sie es am nächsten Tag nicht aus.

- Sorgen Sie für einen sehr regelmäßigen Schlaf-Rhythmus mit genügend Schlaf. Unter Umständen ist das Wiedereinführen des Mittagsschlafes sinnvoll.

- Nachtschreck kann, ebenso wie Schlafwandeln, nicht »wegbehandelt« werden. Vielleicht führen die hier genannten Tipps zu einer Verbesserung. Zu einem Teil müssen Sie den Nachtschreck Ihres Kindes aber annehmen und damit leben – mit der Zuversicht, dass sich das Problem mit der Zeit von selbst lösen wird.

- In der Regel treten Nachtschreck-Attacken eine bis vier Stunden nach dem Einschlafen auf. Mit Albträumen hat das nichts zu tun. Wie Sie Nachtschreck von Albträumen unterscheiden können, erfahren Sie ab Seite 152.

Nächtliche Ängste und Albträume

ALLE KINDER HABEN VON ZEIT ZU ZEIT abends oder nachts in ihrem Bett Angst. Alle haben manchmal Albträume. Ängste und Albträume haben ihre Ursache in den Erlebnissen und Ereignissen, die tagsüber auf die Kinder einwirken – und manchmal auf sie einstürzen.

⋯❯ Angst vor dem Schlafengehen

Ihr Kind kann tagsüber fröhlich und ausgeglichen wirken – und sich abends trotzdem manchmal hilflos und ängstlich fühlen. Darin liegt kein Widerspruch. Abends ist es dunkel und still. Das Kind liegt allein in seinem Bett. Es gibt keine Ablenkung durch Spielsachen oder Spielkameraden. Es ist mit seinen Gefühlen und Fantasien allein und hat vieles zu bewältigen: neue Eindrücke, Konflikte mit Geschwistern, kurzfristige Trennung von den Eltern und vieles mehr. Schon der Ablauf ganz normaler Alltagssituationen kann ein Kleinkind oder Vorschulkind von Zeit zu Zeit überfordern. Erst recht gilt das, wenn einschneidende Veränderungen eintreten: ein Umzug, die Geburt eines Geschwisterchens, der Eintritt in den Kindergarten, Krankheit oder Streit in der Familie. Tagsüber mag Ihr Kind scheinbar noch so gut damit fertig werden. Allein im Bett wird es aber vielleicht wieder ganz »klein«, kuschelig und anlehnungsbedürftig, als sei es plötzlich zwei, drei Jahre jünger. Vielleicht erfindet es Ausreden und Ablenkungsmanöver, um die Bettzeit hinauszuzögern. Vielleicht will es Sie nicht gehen lassen.

Die Erlebnisse, die in einem Kind das Gefühl von Angst und Unsicherheit entstehen lassen, sind vielfältig. Kinder können die eigenen Gefühle häufig nicht einordnen. Selten können sie genau sagen, was sie wirklich beunruhigt. Vielleicht haben sie stattdessen Angst vor Monstern oder Gespenstern. Diese treten sozusagen stellvertretend für Erlebnisse auf, die für die Kinder tagsüber bedrohlich und nicht zu bewältigen waren. Monster und Gespenster können natürlich auch als Folge eines ausgiebigen Fernsehnachmittags erscheinen. Nicht alle Kinder können die oft scheußlichen Comic-Figuren der zahlreichen Fernsehprogramme so ohne weiteres verkraften – obwohl sie die Fernbedienung vielleicht schon souverän beherrschen. Oft fürchten sie sich auch vor Figuren, die uns harmlos erscheinen.

WAS WIRKT

Umgang mit nächtlichen Ängsten

Wie können Sie als Eltern mit den sehr verständlichen Ängsten Ihres Kindes umgehen? Im Einzelfall braucht jedes Kind eine ganz auf seine Bedürfnisse zugeschnittene Reaktion. Trotzdem wagen wir einige allgemeine Ratschläge:

- Ab dem zweiten Lebensjahr haben viele Kinder Angst im Dunkeln. Völlige Finsternis beflügelt die Fantasie und erschwert es den Kindern, die vertraute Umgebung beim nächtlichen Aufwachen sofort wiederzuerkennen. Bringen Sie ein Nachtlicht an, oder lassen Sie einen Lichtschein ins Zimmer.

- Haben Sie Verständnis für Ihr Kind, wenn es sich abends nicht ganz so ruhig und souverän verhält wie tagsüber. Sätze wie »Stell dich nicht so an« oder »Du bist doch kein Baby mehr« helfen Ihrem Kind nicht weiter.

- Andererseits ist es meist nicht sinnvoll, ausgerechnet abends oder nachts Probleme des Kindes zu diskutieren. Wenn es Ihnen ängstlich erscheint und Themen wie Gespenster, Räuber oder gefährliche Tiere anschneidet, können Sie vielleicht das Abendritual etwas ausdehnen. Aber liefern Sie keine ausführlichen Erklärungen, warum es keine Gespenster, Hexen und so weiter gibt. Fangen Sie auch nicht an, Möbel zu verrücken, um Ihrem Kind zu beweisen: »Da ist kein Monster.«

- Viel wirksamer als lange Diskussionen ist es, Ihrem Kind immer wieder ganz allgemein zu versichern: »Mama und Papa sind da. Wir haben dich sehr lieb und passen gut auf dich auf. Wir beschützen dich. Du kannst dich auf uns verlassen.« Dabei können Sie es fest in Ihre Arme nehmen. Die Ängstlichkeit Ihres Kindes kann bedeuten: »Mami, bitte beschütze mich!«. Das Gefühl von Schutz und Geborgenheit können Sie ihm am besten vermitteln, wenn Sie sich ruhig und selbstsicher verhalten.

- Wenn Ihr Kind nur ab und zu ängstlich ist und besondere Zuwendung braucht, können Sie das Abendritual ausnahmsweise ruhig einmal ändern. Sie können sich zu Ihrem Kind ins Bett legen oder es zu sich holen – etwa wenn draußen ein Gewitter tobt, Ihr Kind gerade ein belastendes Erlebnis verkraften muss oder eine schwere Erkrankung durchmacht.

Es kann passieren, dass sich aus den Ausnahmen, wie sie ganz unten im Kasten links beschrieben werden, neue Einschlafgewohnheiten entwickeln. »Ängste« werden dann vom Kind eingesetzt, um das Abendritual zu bestimmen, nach dem Motto: »Wenn ich von Monstern und Gespenstern erzähle, bleibt Mami bis zum Einschlafen in meinem Bett«. Es ist manchmal schwierig zu unterscheiden, ob ein Kind wirklich noch Angst hat oder aus taktischen Gründen an seiner »Angst« festhält. Seine Körpersprache gibt Ihnen wichtige Hinweise für die Unterscheidung.

Achten Sie zusätzlich darauf, ob Ihr Kind auch tagsüber an seinem abendlichen oder nächtlichen Angst-Thema interessiert ist. Ist das der Fall, hat es wahrscheinlich wirklich ein Problem. Versuchen Sie tagsüber, ihm auf die Spur zu kommen.

Grundsätzlich sollte das Abendritual – von Ausnahmen abgesehen – in den gewohnten Bahnen ablaufen. Sie helfen Ihrem Kind am besten, wenn Sie ihm zuhören, seine Sorgen und Ängste ernst nehmen und es Ihrer Liebe und Fürsorge versichern – und fest bleiben.

Panik

Bisher war von »normaler« Ängstlichkeit die Rede. Sie kann Kinder tatsächlich beunruhigen oder sogar zum Weinen bringen, aber von panikartiger Angst ist sie weit entfernt.

Ein Kind, das panische Angst hat, klammert sich an seiner Mutter fest, steigert sich in sein Schreien hinein und ist bereit, alles zu tun, damit es nicht allein bleiben muss. Hier würde »Festbleiben« alles nur verschlimmern. Ein hochgradig ängstliches Kind braucht die dauernde – unter Umständen auch körperliche – Zuwendung der Eltern. Ein solches Kind hat ein ernsthaftes Problem. Es braucht Hilfe und Unterstützung, damit die Ursache geklärt und eine Lösung gefunden werden kann. Wenn Sie als Eltern damit überfordert sind, scheuen Sie sich bitte nicht, fachliche Hilfe in Anspruch zu nehmen.

⋯⟩ Albträume

Ängste, die zu Albträumen führen, sind mit der Angst vor dem Schlafengehen eng verwandt. Auch bei Albträumen liegen die Ursachen in den Konflikten und Erlebnissen am Tage. Besonders häufig scheinen sie bei Kindern zwischen drei und sechs Jahren vorzukommen. Die Kinder fangen an, über ihre eigenen Gefühle – zum Beispiel Wut, Angst, Schuldgefühle – nachzudenken, ohne sie »mit Vernunft« verarbeiten zu können. Im Traum werden auf manchmal bizarre Art und Weise all diese Empfindungen aufgenommen. Böse Träume sind für kleine Kinder besonders bedrohlich. Sie können den Unterschied zur Wirklichkeit nicht so leicht nachvollziehen. Wenn sie nach einem Albtraum aufgewacht sind, fühlen sie sich immer noch von dem »Bösen« aus ihrem Traumerlebnis bedroht. Sie bleiben ängstlich und brauchen Trost.

»Da ist ein Fisch auf dem Schrank ...«

Der fast vier Jahre alte Ralf wurde seit zwei Wochen jede Nacht von einem Albtraum gequält. Beim ersten Mal war Ralf gegen zwei Uhr wach geworden. Er schrie wie in Panik, zeigte auf den Kleiderschrank und behauptete, einen Fisch zu sehen. Um keinen Preis wollte er in seinem Zimmer bleiben. Er klammerte sich an seine Mutter, wollte ins Wohnzimmer und weinte angsterfüllt.

In dieser Nacht schlief Ralf nicht mehr ein. In den kommenden zwei Wochen musste die Mutter bei ihm schlafen. Das Licht blieb an, und er schlief sehr spät ein. Jede Nacht zwischen zwei und drei wachte er auf, weinte, redete von einem Fisch und blieb mehrere Stunden wach. Seine Mutter ging mit ihm ins Wohnzimmer. Er wollte trinken und Kassetten hören. Ralfs Mutter war unsicher, wie sie sich verhalten sollte. In den ers-

ten Nächten war sie überzeugt, dass er wirklich in Panik war. Mittlerweile war sie sich da nicht mehr so sicher. Sie schwankte in ihren Reaktionen zwischen »Hier ist kein Fisch« und »Sag doch mal, wie der Fisch genau aussieht.« Außerdem schwankte sie zwischen Mitleid und Ärger, da ihr kräftezehrender Einsatz die Situation bisher nicht verbessert hatte.

Ralf war auch tagsüber ein eher ängstliches Kind. Besonders Mücken, Spinnen und andere Insekten konnten bei ihm panikartige Reaktionen auslösen. Deshalb bekam die Mutter zunächst Hinweise, wie sie mit den Ängsten ihres Sohnes am Tag besser umgehen konnte.

Es ließ sich nicht klären, warum gerade ein Fisch in Ralfs Träumen eine Hauptrolle spielte. Wir entwickelten zusammen eine »therapeutische Geschichte«, in der ein dem kleinen Ralf sehr ähnlicher Junge sich mit einem liebenswerten und farbenfrohen Fisch anfreundete. Das Albtraum-Thema »Fisch« bekam durch die Geschichte eine neue Bedeutung, die nicht mehr mit Angst vereinbar war. Ralfs Mutter erzählte ihrem Sohn diese Geschichte tagsüber von nun an regelmäßig.

Bei Ralf war schwer auseinanderzuhalten, ob seine langen Wachphasen wirklich noch mit Angst zu tun hatten oder ob schon eine Gewohnheit daraus geworden war. In jedem Fall war es für Ralf das Beste, wenn seine Mutter Selbstsicherheit ausstrahlen und einer klaren Linie folgen würde. Sie entschied sich, ihren Sohn zunächst weiterhin in ihrem Bett schlafen zu lassen. Es wurde ein Nachtlicht angebracht, aber die Deckenleuchte blieb aus. Wenn Ralf nachts wach wurde, sagte sie nichts mehr über den Fisch, sondern wiederholte mit ruhiger Stimme immer dieselben Sätze:

»Das Licht bleibt aus.«

»Ich bin da. Es ist alles in Ordnung.«

»Du bleibst schön liegen.«

»Ich passe gut auf dich auf. Du schläfst schön weiter.«

Mutter und Sohn verließen das Zimmer nicht mehr. Auch Ablenkungen wie Trinken oder Kassettenhören wurden nicht mehr zugelassen. Morgens wurde Ralf geweckt, damit er nachts versäumten Schlaf nicht mehr am Vormittag nachholen konnte. Schon am zweiten Abend schlief Ralf recht schnell ein. Auch die Nächte verbesserten sich deutlich: In der ersten Nacht weinte Ralf noch zwei Stunden lang. Danach wurde er eine Zeit lang zwar immer noch gegen zwei Uhr wach und berichtete von seinem Fisch-Traum. Er konnte jedoch ohne Panik und Weinen innerhalb von 10 bis 30 Minuten wieder einschlafen.

WAS WIRKT

So helfen Sie Ihrem Kind bei Albträumen

- Sie können Ihr Kind am besten trösten, indem Sie es fest in den Arm nehmen und ihm versichern: »Ich bin da. Es ist alles in Ordnung.«

- Bleiben Sie bei Ihrem Kind oder lassen Sie es in Ihr Bett, bis es sich beruhigt.

- Fragen Sie es nach seinem Traum, aber bedrängen Sie es nicht. Es braucht nichts zu erzählen, wenn es das nicht möchte.

- Ein Nachtlicht kann Ihrem Kind helfen, sich nach einem Traum in seiner Umgebung zu orientieren.

- Hat Ihr Kind sehr häufig Albträume, steckt wahrscheinlich ein Problem dahinter. In dem Fall sollten Sie tagsüber nach den Ursachen suchen und, wie bei besonders starken Ängsten, professionelle Hilfe erwägen.

⋯⟩ Albtraum oder Nachtschreck?

Träume finden während des REM-Schlafes (siehe Seite 28) statt. Nicht während eines Albtraumes, sondern erst danach fängt Ihr Kind an zu weinen. Es ist dann vollständig wach. In den REM-Schlaf fällt Ihr Kind zum ersten Mal etwa drei Stunden nach dem Einschlafen. In der zweiten Nachthälfte werden die REM-Abschnitte häufiger und intensiver. Albträume kommen also meist in dieser Zeit vor. Nachtschreck-Attacken passieren dagegen ein bis vier Stunden nach dem Einschlafen, also im ersten Drittel der Nacht. Aus dem Tiefschlaf kommt es zu einem unvollständigen Erwachen. Der Wechsel zurück gelingt nicht sofort: Ihr Kind bleibt längere Zeit in dem Zustand zwischen Schlafen und Wachen. Es beginnt zu schreien und um sich zu schlagen. Die Tabelle rechts stellt die Merkmale von Albtraum und Nachtschreck gegenüber.

DAS WICHTIGSTE AUF EINEN BLICK

⋯⟩ Manche Kinder verhalten sich im Schlaf auffällig

- In den ersten drei Stunden nach dem Einschlafen erwacht Ihr Kind ein- bis zweimal unvollständig aus dem Tiefschlaf. Einige Kinder bleiben längere Zeit in diesem Zustand. Das kann sich durch auffälliges Verhalten zeigen: Sprechen im Schlaf, ruhiges Schlafwandeln oder Nachtschreck-Attacken mit Schreien und Um-sich-Schlagen.

⋯⟩ Auffälliges Verhalten im Schlaf ist meist kein Grund zur Sorge

- Bei Kindern unter sechs Jahren sind diese Auffälligkeiten in der Regel kein Hinweis auf eine psychische Störung.

Wecken Sie Ihr Kind nicht, beobachten Sie es nur. Lassen Sie es in Ruhe, wenn es sich gegen Zuwendung wehrt. Fragen Sie es am nächsten Tag nicht aus. Sorgen Sie für einen regelmäßigen Tagesablauf mit genügend Schlaf. Seien Sie zuversichtlich, dass sich das Problem mit der Zeit von selbst löst.

⋯⟩ Trost bei Albträumen

- Nach einem bösen Traum braucht Ihr Kind Trost und Ihre Versicherung, dass Sie immer da sind und für seine Sicherheit sorgen. Vermeiden Sie, nachts mit dem Kind Ängste und Träume zu diskutieren. Versuchen Sie, tagsüber die Ursachen herauszufinden.

···❖ Unterschiede zwischen Albtraum und Nachtschreck

	Albtraum	Nachtschreck
Wovon sprechen wir?	Ein böser Traum. Findet im REM-Schlaf statt. Anschließend vollständiges Erwachen	Unvollständiges Erwachen aus dem Tiefschlaf
Wann bemerken wir es?	Nicht während des Traums, sondern danach, wenn das Kind wach ist und schreit oder weint	Während der Nachtschreck-Attacke, wenn das Kind Schreit und um sich schlägt. Danach ist es ruhig
Wann tritt es auf?	In der zweiten Nachthälfte, wenn das Kind am intensivsten träumt	Gewöhnlich 1–3 Stunden, selten auch bis zu 4 Stunden nach dem Einschlafen
Wie verhält sich das Kind?	Es weint meist und hat nach dem Aufwachen noch Angst. Während des Albtraums ist Ihr Kind bewegungslos. Nach dem Aufwachen weint es oft und hat noch Angst	Es sitzt im Bett oder steht auf. Es wirft sich herum oder schlägt um sich. Es spricht, murmelt, schreit oder weint bei gleichzeitiger Angst und Verwirrung, schnellem Puls und Schwitzen. Alle Symptome verschwinden nach dem Aufwachen
Wie reagiert das Kind auf Sie?	Es nimmt Sie wahr und lässt sich von Ihnen beruhigen. Es sucht Körperkontakt	Es nimmt Sie nicht wahr und lässt sich nicht beruhigen. Wehrt sich gegen Körperkontakt
Wie schläft es wieder ein?	Wegen seiner Angst hat es vielleicht Schwierigkeiten, wieder einzuschlafen	Normalerweise schnell, oft ohne vorher vollständig wach zu werden
Erinnert sich das Kind am nächsten Morgen?	Wenn es alt genug ist, kann es sich an einen Traum erinnern und ihn unter Umständen erzählen	Keine Erinnerung – weder an einen Traum noch an das Schreien oder Um-sich-Schlagen

Hilfe bei
speziellen Problemen

Einigen Eltern reichen alle bisherigen Informationen nicht aus. Ihr Kind hat im Zusammenhang mit dem Schlaf ganz spezielle Probleme, auf die bisher noch nicht eingegangen wurde. Im folgenden Abschnitt werden die wichtigsten Besonderheiten behandelt.

Kopfschlagen und Schaukeln

GELEGENTLICH BERICHTEN ELTERN von einer Beobachtung, die ihnen ungewöhnlich erscheint: Ihr Kind schaukelt vor dem Einschlafen mit dem ganzen Körper hin und her, oder es schlägt mit dem Kopf.

> Der achtzehn Monate alte Thomas schlug tagsüber, abends und mehrmals in der Nacht vor dem Einschlafen mit dem Kopf gegen die Gitterstäbe seines Kinderbettchens.

Thomas verletzte sich mit dem Kopfschlagen zwar nicht ernsthaft, hatte aber ab und zu Druckstellen am Kopf. Die Eltern versuchten, das Kinderbettchen auszupolstern. Aber Thomas entfernte die Polster und fand immer wieder eine harte Stelle. Die Rollen unter dem Kinderbett waren bereits abgebaut, da Thomas durch das rhythmische Kopfschlagen das Bett manchmal regelrecht quer durchs Kinderzimmer in Bewegung setzte. Die Eltern machten sich Sorgen um ihren Sohn. Sie hatten gehört, dass hauptsächlich schwer behinderte und vernachlässigte Kinder mit dem Kopf schlagen. Mussten sie nun davon ausgehen, dass ihr Sohn ernsthaft gestört war?

Manche Eltern machen sich ähnliche Sorgen wie die Eltern des kleinen Thomas, etwa wenn ihr Kind vor dem Einschlafen auf allen vieren auf dem Bett hockt und sich vor und zurück bewegt, oder wenn es im Liegen sein Köpfchen rhythmisch von einer Seite auf die andere wirft.

Ob die Kinder mit dem Kopf gegen einen harten Gegenstand schlagen, ihn hin und her rollen oder mit dem ganzen Körper schaukeln – all das wirkt irgendwie befremdlich. Aber es ist meist unbedenklich und viel verbreiteter, als Sie vielleicht glauben.

Die Sorgen der Eltern sind in den meisten Fällen unbegründet

Zumindest bei Säuglingen und Kleinkindern handelt es sich um normales Verhalten. Es tritt bei ungefähr fünf Prozent der Kinder in diesem Alter auf.

Viele dieser Kinder haben auch tagsüber eine Vorliebe für rhythmische Bewegungen. Wenn sie Musik hören, beginnen sie im Takt zu schaukeln – mit dem Kopf oder mit dem ganzen Körper. Einige haben sich das Schaukeln auf allen vieren, das Rollen mit dem Kopf oder das Kopfschlagen besonders zur Schlafenszeit angewöhnt. Sie tun es vor dem Einschlafen, manchmal auch morgens oder nachts, um nach dem Aufwachen wieder in den Schlaf zu finden. Es handelt sich meist um eine Einschlafgewohnheit, die durchaus mit dem Daumenlutschen oder dem »Einschaukeln« im Kinderwagen vergleichbar ist.

Das Kopfschlagen wird von all diesen ähnlichen, in der Fachsprache »Jaktationen« genannten rhythmischen Bewegungen von den Eltern am ehesten als Problem oder »Störung« empfunden. Auch wenn die Kinder sich nicht ernsthaft verletzen, machen die Eltern sich Sorgen. Aus ihrer Sicht müsste das Schlagen mit dem Kopf gegen einen harten Gegenstand doch schmerzhaft sein. Offensichtlich ist das für diese Kinder aber nicht der Fall. Der beruhigende Effekt der regelmäßigen Bewegung scheint für sie zu überwiegen. Kopfschlagen oder Schaukeln als Einschlafgewohnheit entwickelt sich meist innerhalb des ersten Lebensjahres. Es kann nach kurzer Zeit spontan abklingen, aber auch längere Zeit anhalten. Meist verschwindet es ein Jahr bis eineinhalb Jahre nach dem ersten Auftreten, spätestens also im dritten bis vierten Lebensjahr.

Kopfschlagen kommt bei Jungen wesentlich häufiger vor als bei Mädchen. Es stimmt zwar, dass es bei Kindern mit einer ernsten neurologischen Krankheit oder einer psychischen Störung überdurchschnittlich oft auftritt. Als einzige Auffälligkeit bei einem sonst gesunden, sich normal entwickelnden Kind ist es aber kein Grund zur Sorge. Eltern helfen ihrem Kind am besten, wenn sie es mit seiner Eigenart annehmen und darauf vertrauen, dass alles in Ordnung ist.

Thomas, von dem auf Seite 155 die Rede war, bekam nachts regelmäßig ein Fläschchen, wenn er anfing, mit dem Kopf zu schlagen. Er konnte damit also etwas erreichen! Als seine Mutter ihm nach der ab Seite 112 besprochenen Methode die Fläschchen abgewöhnt hatte, ließ das Kopfschlagen stark nach.

WAS WIRKT

Umgang mit Kopfschlagen

- Geben Sie Ihrem Kind tagsüber viel Gelegenheit, sich rhythmisch zu bewegen, etwa zu Musik oder bei gemeinsamen Spielen.

- Einen Versuch wert: eine laut tickende Uhr oder ein Metronom neben das Kinderbett stellen, um dem Rhythmusgefühl Ihres Kindes entgegenzukommen.

- Polstern Sie das Kinderbett sorgfältig aus (aber erst, wenn Ihr Kind schon älter als ein Jahr ist, siehe Seite 45), oder legen Sie als Schlafplatz eine Matratze mitten ins Zimmer. Je aufwändiger die Suche nach einem festen Gegenstand zum Kopfschlagen ist, desto eher wird ihr Kind damit aufhören.

- In sehr seltenen Fällen, wenn das Kind sich mit dem Kopfschlagen wirklich selbst verletzt, können die Eltern es mit einem Fahrradhelm schützen.

- Achten Sie darauf, dass Ihr Kind einen regelmäßigen und sinnvollen Schlafrhythmus hat. Beherzigen Sie die »Bettzeit = Schlafzeit«-Regel von Seite 82: Ziehen Sie die Schaukel- und Kopfschlagen-Zeiten Ihres Kindes von seiner Bettzeit ab. Wenn Ihr Kind nicht länger im Bett liegt, als es im Durchschnitt schläft, wird das Schaukeln oder Kopfschlagen sich zumindest verkürzen.

- Achten Sie darauf, dass Sie das Kopfschlagen Ihres Kindes nicht mit besonderer Aufmerksamkeit und Zuwendung »belohnen«.

In seltenen Fällen können Kopfschlagen oder Schaukeln allerdings auch Hinweis auf eine ernsthafte Störung sein. Sprechen Sie mit Ihrem Kinderarzt, wenn eine der folgenden Aussagen auf Ihr Kind zutrifft:

- Das Kopfschlagen oder Schaukeln tritt erstmals auf, wenn Ihr Kind schon älter als eineinhalb Jahre alt ist.

- Das Kopfschlagen oder Schaukeln tritt im Zusammenhang mit einem belastenden oder ängstigenden Ereignis auf.

- Die rhythmischen Bewegungen lassen auch im dritten oder vierten Lebensjahr noch nicht nach.

- Ihr Kind entwickelt sich insgesamt nicht altersgerecht.

Schlaf-Apnoe

> Julia, fünf Jahre alt, begann vor einem halben Jahr zu schnarchen. Oft wurden die Eltern nachts in ihrer hellhörigen Wohnung von dem lauten Geräusch geweckt. Vor sechs Wochen bemerkten sie, dass das Schnarchen durch Phasen absoluter Stille unterbrochen wurde.

In der folgenden Zeit achteten sie immer mehr darauf und nahmen immer häufiger diese Phasen wahr. Gleichzeitig fiel ihnen auf, dass Julia am Tag müde und unausgeglichen war.

Dies ist die typische Geschichte eines Kindes mit Schlaf-Apnoe. »Apnoe« heißt »nicht atmen«. Der Luftstrom durch Nase und Mund ist für mehr als zehn Sekunden unterbrochen. Dies kann zum Beispiel bei früh geborenen Kindern durch eine Unreife des Impulsgebers für die Atmung im Hirn ausgelöst werden. Bei Schlaf-Apnoen, von denen wir hier sprechen, hört das Kind immer wieder auf zu atmen, weil der Luftstrom durch die Nase und den Mund auf dem Weg in die Luftröhre unterbrochen wird. Diese Unterbrechung findet vor allem im Bereich des Zungengrundes statt. Wie wir wissen, erschlafft die Muskulatur besonders im Traumschlaf vollständig, so dass die Zunge nach hinten fallen kann und den Luftstrom auf dem Weg in die Luftröhre versperrt.

Für die meisten Kinder bleibt der Luftstrom ausreichend. Bei Julia kam allerdings hinzu, dass ihre Adenoide (Polypen) und Mandeln vergrößert waren und zusammen mit der Zunge zu wenig Luft durchließen. Dies führte dazu, dass Julia immer wieder halb wach werden musste, um die Zunge wieder anspannen zu können. So war die ganze Nacht ein Kampf um genügend Luft. Kein Wunder, dass Julia am Tage müde, unausgeglichen und quengelig war.

···> Sichere Anzeichen

Die wichtigsten Merkmale sind:
• Übermäßige Schläfrigkeit am Tag mit einer Vielzahl indirekt und direkt verbundener Auffälligkeiten: unangepasstes Verhalten, Hyperaktivität, plötzliche Charakterveränderung, bei älteren Kindern Schulprobleme.
• Lautes Schnarchen jede Nacht – auch ohne Zeichen eines Luftwegeinfektes, Einziehen des Brustkorbes beim Einatmen.

Die Ursachen, die zu Schlaf-Apnoe führen, sind vor allem vergrößerte Mandeln und Polypen, aber auch übermäßiges Gewicht und Fehlbildungen der Kiefer. Das Kind sollte bei Verdacht auf eine Behinderung der Atmung beim Kinderarzt oder beim Hals-Nasen-Ohren-Arzt vorgestellt werden. Bei den meisten dieser Kinder hilft eine Entfernung der Polypen und Mandeln.

Schmerzen

Wenn Ihr Kind vor Schmerzen weint, kann es nur schwer in den Schlaf finden. Die gewohnten Einschlafbedingungen helfen ihm nicht. Eltern können das klägliche Weinen und Schreien wegen starker Schmerzen in der Regel recht gut von Wut- oder Protestgeschrei unterscheiden. Wenn Ihr Kind Schmerzen hat, braucht es Hilfe. Wenden Sie sich an Ihren Kinderarzt oder Ihre Kinderärztin.

Wenn Eltern einen Säugling in die Praxis bringen, weil er vor Schmerzen die ganze Nacht geschrien hat, fügen sie oft die Frage hinzu:

»Ob es wohl vom Zahnen kommt?«

Das Wort »Zahnen« ist umrankt von vielen Ammenmärchen. So viel ihm auch als Ursache für Fieber, Durchfall, Quengeln und Appetitlosigkeit zugeschrieben wird, so wenig gesicherte Erkenntnisse gibt es. In der Umgangssprache ist mit dem »Zahnen« das gesamte Wachstum der Zähne gemeint. Sind die Zähne noch nicht sichtbar, »schießen« sie ein. Kommen sie aus dem Zahnfleisch heraus, »brechen die Zähne durch«. Da die Zähne gleichmäßig mit dem gesamten Organismus wachsen, gibt es in Wahrheit kein plötzliches »Einschießen« von Zähnen, die deshalb Beschwerden verursachen könnten. So kann sich das »Zahnen« mit Beschwerden nur auf die Zeit beziehen, in der die Zähne sichtbar werden und aus dem Zahnfleisch herauswachsen.

Wann verursachen sie Schmerzen? Sicher dann, wenn eine Entzündung mit Rötung und Schwellung des Zahnfleisches sichtbar wird. Dies ist eher selten der Fall. Nach wenigen Tagen ist die Entzündung in der Regel wieder abgeklungen. So können wir »Zahnen« als Ursache von Schlafstörungen und Krankheiten kaum gelten lassen.

Wir schauen bei einem Kind, das Schmerzen hat, in der Regel zuerst in die Ohren. Die häufigste Ursache für Schmerzen ist eine akute Mittelohrentzündung.

Gelegentlich gibt es auch chronische Mittelohrergüsse, die vor allem im Liegen Schmerzen hervorrufen. Kommt Fieber hinzu, kann ein Säugling auch Kopf- und Gliederschmerzen haben. Jede fieberhafte Erkrankung kann bei Säuglingen wie auch bei Erwachsenen mit Kopf- und Gliederschmerzen einhergehen. Wir tasten bei Säuglingen, die ungewöhnlich heftig schreien, immer auch den Bauch und die Leisten ab, um auszuschließen, dass dort die Quelle des Übels liegt.

Es gibt noch eine Vielzahl anderer möglicher Schmerzursachen, aber die Zähne spielen für die Untersuchung selten eine Rolle. Eine sorgfältige Befragung der Eltern und eine Untersuchung klären gewöhnlich die Ursache oder schließen zumindest ernsthafte Erkrankungen aus.

Wenn die Eltern den begründeten Verdacht haben, dass das Kind wegen Schmerzen nicht schlafen kann, aber noch nicht so krank erscheint, dem Kinderarzt vorgestellt zu werden, empfehlen wir, dem Kind ein Fieberzäpfchen zu geben, weil dieses gleichzeitig auch die Schmerzen lindert.

Geistig behinderte Kinder

Daniel und Moritz wurden als Zwillinge in der 36. Schwangerschaftswoche geboren. Beide mussten vier Wochen lang auf die Intensivstation, weil eine Vielzahl von Komplikationen ihr Leben bedrohte. Bald nach ihrer Entlassung wurde deutlich, dass beide in ihrer Entwicklung zurückblieben. Mit fünf Jahren wurde eine massive Entwicklungsverzögerung mit autistischem Verhalten diagnostiziert.

Von Anfang an klagte die allein erziehende Mutter immer wieder über den häufig unterbrochenen Schlaf während der Nacht.

Schließlich kam es schlicht zur Katastrophe. Nachdem die beiden zwischen 21 und 22 Uhr in ihren Gitterbettchen eingeschlafen waren, wachte gewöhnlich einer von ihnen um Mitternacht auf, stieg aus dem Bett und klopfte mit einem Spielzeug gegen die Fensterscheiben, bis sein Bruder aufwachte und mitmachte. Erst nach einer Stunde schliefen sie wieder ein. Um drei Uhr früh riefen sie nach Tee. Sie wollten dann wieder für eine Weile spielen, bis sie um halb sechs erneut einschliefen. Mit ihrem Klopfen gegen die Fensterscheiben hatten sie nicht nur ihre Mutter geweckt, sondern auch eine Reihe von Familien in dem siebenstöckigen Haus. Böse Briefe steckten im Postkasten. Die Mutter konnte ihrer Arbeit nur noch mühsam und müde nachgehen.

Sollten wir auch hier, bei so schwer geistig behinderten und autistischen Kindern wie Daniel und Moritz, unser Schlafprogramm empfehlen? Eine Alternative bot sich einfach nicht. Trotz anfänglicher Schwierigkeiten gelang es der Mutter, durch einen genau vereinbarten Plan bei den Kindern einen wesentlich längeren und durchgehenden Schlaf zu erreichen. Die beiden lernten, nachts nicht mehr zu trinken, mehr von den Tagesschläfchen auf die Nacht zu verlegen und in ihren Bettchen zu bleiben.

Anfangs hatten wir als Berater schon fast aufgegeben, weil die Kinder nachts einfach nicht im Bett blieben. Die Mutter war aber konsequent und überraschte uns nach einigen Wochen mit der Erfolgsmeldung, dass die beiden doch gelernt hatten, durchzuschlafen.

Auch geistig behinderte Kinder sind lernfähig und lernen durch feste Bedingungen und Konsequenzen

Wenn die Schlafstörung Teil der Grunderkrankung eines Kindes ist, kann es hier nicht zu so schnellem und vollständigem Erfolg kommen wie bei gesunden Kindern. Ein großes Maß an Geduld und Einfühlungsvermögen ist immer notwendig. In seltenen Fällen kann auch eine medikamentöse Behandlung erforderlich sein. Nach unseren Erfahrungen ist es jedoch auch bei geistig behinderten Kindern mit schweren Schlafstörungen möglich und sinnvoll, ein genau dem einzelnen Kind angemessenes Verhaltensprogramm für den Abend und die Nacht zu vereinbaren und so eine erhebliche Verbesserung zu bewirken.

Medikamente

HABEN SCHLAF- UND BERUHIGUNGS- MITTEL Platz in der Behandlung von kindlichen Schlafstörungen? Nach einer Untersuchung des Instituts für Medizinische Statistik bekamen im Jahr 1990 sieben bis zehn Prozent aller Kinder unter zwölf Jahren in der Bundesrepublik mindestens einmal Schlaf- oder Beruhigungsmittel verschrieben. Am gängigsten sind Psychopharmaka wie Atosil und Beruhigungsmittel aus der Valiumfamilie.

Besonders bedenklich stimmt, dass laut einer Veröffentlichung im Deutschen Ärzteblatt die Verschreibungshäufigkeit bei Säuglingen bis zu einem Jahr hoch ist: 20 von 100 Kindern in dieser Altersgruppe wurden mindestens einmal Psychopharmaka verordnet! Werden diese Medikamente tatsächlich eingenommen, ist zu befürchten: Viele Kinder mit Schlafstörungen werden mit Psychopharmaka behandelt.

Allerdings werden nach unseren Erfahrungen – zumindest von Kinderärzten – Schlafmittel nicht leichtfertig für einen längeren Zeitraum verschrieben. Hinzu kommt, dass die Eltern verordnete Medikamente häufig nach wenigen Tagen wieder absetzen.

Bevor wir unser Schlaflern-Programm einführten, haben wir in Ausnahmefällen bei besonders verzweifelten Familien auch Schlaf- oder Beruhigungsmittel verordnet. Dadurch schliefen die Kinder zwar etwas schneller ein, aber die nächtlichen Gewohnheiten wie Herumtragen, Trinken und so weiter änderten sich nicht. Das Schlüsselproblem, die elternabhängige Einschlafhilfe, blieb schließlich ebenfalls bestehen. Nach Absetzen der Medikamente kehrte regelmäßig das alte Schlafmuster zurück.

Es gibt Untersuchungen, die unsere Erfahrungen bestätigen. Eine dauerhafte Hilfe durch Medikamente wurde – genau wie in unserer Praxis – nicht beobachtet. Medikamente zeigten nur dann Wirkung, wenn gleichzeitig ein Programm zum Schlafenlernen durchgeführt wurde.

Da der Erfolg mit unserem Plan zum Schlafenlernen außerordentlich groß ist, empfehlen wir, bei gesunden Kindern vollständig auf Medikamente zu verzichten. Diese können auch zusätzlich Probleme verursachen: Manche Kinder drehen erst richtig auf, statt schläfrig zu werden. Dieser Effekt wird »paradoxe Reaktion« genannt.

Besonders bei längerer Einnahme von Medikamenten kann außerdem eine Vielzahl unerwünschter Nebenwirkungen auftreten. Der Preis ist also hoch, der Nutzen dagegen gering. Aus all diesen Gründen lautet unsere Schlussfolgerung:

Medikamente, die Ihr Kind beruhigen oder den Schlaf fördern sollen, sind weder erforderlich noch auf Dauer wirksam. Sie sollten deshalb abgesetzt werden, bevor Sie mit dem Plan zum Schlafenlernen beginnen.

Medikamente haben in der **Behandlung** von Schlafstörungen bei **gesunden** Kindern **keinen Platz**

DAS WICHTIGSTE AUF EINEN BLICK

···⟩ **Kopfschlagen und Schaukeln**
- Beides sind ungewöhnliche, aber zumeist nicht krankhafte Verhaltensmuster. Geduld ist notwendig, um auf ein spontanes Verschwinden dieser Eigenarten zu warten.

···⟩ **Schlaf-Apnoe**
- Ungewöhnliche Müdigkeit während des Tages und regelmäßiges Schnarchen mit längeren Atempausen während der Nacht können Anzeichen für Schlaf-Apnoen sein. Der Mehrzahl der Kinder hilft eine operative Entfernung der Polypen (Adenoide) und Mandeln.

···⟩ **Schmerzen**
- Oft verhindern Schmerzen, dass ein Kind nachts durchschlafen kann. In dem Fall sollte versucht werden, die Ursache zu finden. »Zahnen« ist meist keine ausreichende Erklärung.

···⟩ **Geistig behinderte Kinder**
- Geistig behinderte Kinder haben oft Schlafstörungen. Wenn diese nicht unmittelbar durch die Behinderung selbst verursacht wurden, lohnt sich der Versuch, das beschriebene Schlafprogramm – angepasst an die Eigenheiten des Kindes – durchzuführen.

···⟩ **Medikamente**
- Medikamente haben bei der Behandlung von Schlafstörungen bei gesunden Kindern unserer Meinung nach keinen Platz.

163

Hier finden Sie noch mal alle Fragebogenteile aus dem Innenteil auf einen Blick.

GESAMTFRAGEBOGEN

···⟩ **Welche Schlafzeiten hat Ihr Kind?**

- Wann bringen Sie Ihr Kind ins Bett?
- Wann steht Ihr Kind morgens auf?
- Wie viele Stunden verbringt es nachts im Bett?
- Wie lange braucht Ihr Kind zum Einschlafen?
  (Zeit zwischen Zubettbringen und Einschlafen)
- Wie lange ist Ihr Kind nachts insgesamt wach?
- Wie viele Stunden schläft Ihr Kind nachts (reine Schlafzeit)?
- Von wann bis wann hält Ihr Kind sein(e) Tagesschläfchen?
- Wie viele Stunden schläft Ihr Kind tagsüber?
- Wie viele Stunden Schlaf kommen tags und nachts zusammen?

···⟩ **Welche Einschlafhilfen braucht Ihr Kind von Ihnen?**

◯ Schnuller
◯ Herumtragen
◯ Brust
◯ Fläschchen
◯ Anwesenheit von
  Mutter/Vater im Bett

◯ Anwesenheit von
  Mutter/Vater im Zimmer
◯ Schaukeln
◯ Fahren im Auto
  oder Kinderwagen
◯ Sonstiges: _____

···⟩ **Wann braucht Ihr Kind diese Einschlafhilfen?**

◯ Tagsüber   ◯ Abends   ◯ Nachts

···⟩ **Wie oft wird Ihr Kind nachts wach und weint?** _____

⋯⋮ Nächtliche Mahlzeiten

- Wie oft bekommt Ihr Kind nachts etwas zu trinken? _____
- Was bekommt Ihr Kind nachts zu trinken? _____
- Wie viel trinkt es pro Nacht? (Wie viel ist im Fläschchen, wie lange trinkt es an der Brust?) _____

⋯⋮ Hat Ihr Kind Nachtschreck?

Falls Ihr Kind innerhalb der ersten ein bis drei Stunden wach wird und schreit: Was trifft für es zu?

- ◯ Es schreit ganz plötzlich auf
- ◯ Es lässt sich sehr schwer beruhigen
- ◯ Es scheint nicht richtig wach zu sein
- ◯ Es wehrt sich gegen Körperkontakt
- ◯ Es schwitzt oder hat Herzklopfen
- ◯ Es ist schwer zu wecken

⋯⋮ Mein Schlafprotokoll

Auf der nächsten Seite finden Sie ein Schlaf-Protokoll zum Selbstausfüllen, das Sie sich zweimal kopieren können. Halten Sie die Schlafgewohnheiten Ihres Kindes übersichtlich darin fest.

- In das erste Protokoll tragen Sie ein, welche Schlaf- und Trinkgewohnheiten Ihr Kind zurzeit hat. So stellen Sie fest, wie das Schlafverhalten und damit die Schlafprobleme Ihres Kindes genau aussehen.

- Das zweite Schlafprotokoll ist für die Zeit vorgesehen, wenn Sie mit Ihrem persönlichen Plan zum Schlafenlernen beginnen. Tragen Sie dort ein, wie sich die Schlafgewohnheiten Ihres Kindes verändern, bis es durchschläft.

Sie können auch sofort mit dem Plan zum Schlafenlernen beginnen. In diesem Fall benötigen Sie nur eine Kopie vom Schlafprotokoll.

24-Stunden-Protokoll   Name: Alter:

Uhrzeit Datum	6.00	7.00	8.00	9.00	10.00	11.00	12.00	13.00	14.00	15.00	16.00	17.00	18.00	19.00	20.00	21.00	22.00	23.00	24.00	1.00	2.00	3.00	4.00	5.00

Schlafphasen ———   Wachphasen freilassen   Schreien /////   Mahlzeiten ●

»Gute Nacht, kleine Maus«

···❖ Eine Geschichte zum Vorlesen vor dem Schlafengehen

In einem Häuschen im Wald wohnte die Familie Maus: Mama Maus, Papa Maus und ihre Kinder Lilli, Charlie und Babymaus. Mama und Papa Maus hatten viel zu tun. Sie mussten das Haus reparieren und aufräumen und im Garten arbeiten, Essen kochen und mit Charlie und Lilli spielen, Babymaus füttern und ihre Mäusewindeln wechseln. Und waschen, putzen und noch viel mehr. Charlie und Lilli flitzten den ganzen Tag im Garten herum und spielten Fangen und Verstecken und Regenwürmer-Ärgern und Löcher-Buddeln und noch viel mehr.

Als es dunkel wurde, wollte Mama Maus die Babymaus in ihr Bettchen legen. Aber Babymaus fing sofort an zu piepsen. Sie piepste und piepste – bis Mama Maus sie wieder aus dem Bettchen holte und in ihr kleines Schnäuzchen ein Fläschchen mit Mäusemilch steckte. Jetzt piepste Babymaus nicht mehr. Jetzt schmatzte sie. Mama Maus wartete und wartete. Endlich schlief Babymaus ein. Mama legte sie sanft in ihr Bettchen zurück.

Da kam Lilli ins Zimmer gesaust. »Mama, Mama, der Charlie hat mich gehauen«, weinte sie. »Gar nicht wahr«, heulte Charlie, »aber Lilli hat gesagt, ich bin blöd!« – »Ruhe«, brüllte Papa Maus aus dem Wohnzimmer, »ich will endlich meine Ruhe haben!« – Von dem Krach wurde Babymaus wieder wach. Sie fing an zu piepsen, und Mama Maus machte ihr ein neues Fläschchen. Papa Maus wurde sehr wütend. »Ab ins Bett mit euch«, schimpfte er. Aber Lilli und Charlie wollten noch nicht ins Bett. Lilli hatte noch Hunger. Charlie musste noch Pipi. Lilli wollte der Mama noch was erzählen. Charlie wollte noch ein Buch angucken. Dann musste Lilli noch mal Pipi. »Ich habe keine Lust mehr«, stöhnte Papa Maus, »ich hole jetzt die Mama.« Aber Mama Maus kam nicht. Sie saß immer noch neben dem Babymaus-Bett und hielt das Fläschchen. »Ich kann nicht mehr!«, flüsterte sie. »Ich bin so müde. Und ich habe noch so viel zu tun. Und in der Nacht fängt Babymaus wieder an zu piepsen und will ein neues Fläschchen.« Zwei Tränen kullerten aus ihren schönen schwarzen Mäuseaugen. Da nahm Papa Maus seine Frau liebevoll in den Arm. »Wir müssen das anders machen«, sagte er erschöpft. »Komm, wir denken uns etwas aus.« Und das taten sie.

Am nächsten Tag mussten Lilli und Charlie ein bisschen früher aus dem Garten ins Haus kommen. »Wenn ihr gut mitmacht, gibt es heute Abend eine Überraschung«, sagte Papa Maus. Da sprangen die beiden unter die Mäusedusche, dann in den Schlafanzug. Sie aßen köstlichen Käse mit Speck, putzten sich die Zähnchen und gingen aufs Mäuseklo. Schwups – schon waren sie fix und fertig. **»Das ging ja wie die Feuerwehr«,** sagte Papa Maus begeistert, **»jetzt haben wir noch ganz viel Zeit zum Spielen und Erzählen!«** Zusammen mit Papa bauten Lilli und Charlie noch zwei Bauklotz-Türme, und er las ihnen die Geschichte vom dummen Kater vor. Und dann machte Papa Maus etwas, was er noch nie gemacht hatte. Er sang ihnen ein Schlaflied vor: »Lalelu, nur der Mann im Mond schaut zu, wenn die kleinen Mäuschen schlafen, dann schläfst auch du ...« Papa Maus gab Lilli und Charlie noch einen Gutenachtkuss, dann machte er das Licht aus und schlich aus dem Zimmer. »Das war aber schön heute«, flüsterte Lilli. Charlie sagte nichts mehr. Er schnarchte schon.

Und Babymaus? Heute bekam sie beim Abendessen ihr letztes Fläschchen. Mama war zu müde, um immer neue Fläschchen zu machen. Aber ohne Fläschchen war Babymaus noch nie eingeschlafen. Das kannte sie gar nicht! Sie piepste kläglich. Mama Maus ging immer wieder an ihr Bettchen, streichelte ihr weiches Fellchen und flüsterte: **»Mama ist da, es ist alles gut.«** Langsam hörte Babymaus auf zu piepsen. Da hörte sie ganz leise Papa Maus aus dem anderen Zimmer singen: »Wenn die kleinen Mäuschen schlafen, dann schläfst auch du ...« Und schon fielen Babymaus die kleinen schwarzen Äuglein zu.

Am nächsten Tag schlief Babymaus friedlich ein. Sie schlief und schlief und brauchte gar keine Mäusemilch mehr. Charlie und Lilli beeilten sich beim Fertigmachen, damit Papa Maus wieder mit ihnen spielen und lesen und sein Schlaflied singen konnte. Danach war es ganz still im Mäusehaus. **Und so saßen Mama und Papa Maus nach langer Zeit mal wieder gemütlich zusammen auf dem Mäusesofa.** »Ich hätte beinahe vergessen, dass wir die liebsten und nettesten Mäusekinder auf der ganzen Welt haben«, sagte Papa Maus. »Und ich habe gar nicht gewusst, wie schön du singen kannst«, sagte Mama Maus und gab ihrem Mann einen zärtlichen Kuss auf die Nase.

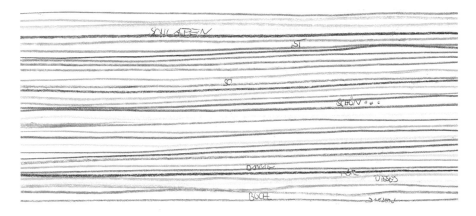

»*Leonie hatte seit zwölf Monaten Schlaf-probleme. Sie wurde alle zwei bis drei Stunden wach und wollte trinken. Es ist kaum zu glauben, dass sie jetzt von 19.30 Uhr bis 6 Uhr durchschläft!*«

»*Wir wollen Ihnen ganz herzlich für die erholsamen Nächte danken, die wir erst-mals seit 14 Monaten in vollen Zügen genießen – und das schon seit zweiein-halb Wochen.*«

Viele positive Reaktionen auf unsere Vorträge oder Einzelberatungen, wie die schöne Dankeskarte und die Briefe, könnten wir noch zitieren. Auch uns hat der außergewöhnliche Erfolg der Schlaf-beratungen überrascht. Dr. Hartmut Morgenroth, der Kinderarzt, musste sich wundern, dass ihm, dem Spezialis-ten für Infektionskrankheiten, ausge-rechnet auf diesem völlig anderen Ge-biet ein solcher Erfolg beschert war.

Auch für mich war es eine neue Erfah-rung, dass ein einziges Gespräch fast immer für einen vollständigen Thera-pieerfolg ausreichte. Allerdings – es waren jedes Mal die Eltern selbst, die unser Behandlungskonzept in die Tat umgesetzt haben. Wir konnten ihnen nur die Anregungen dazu geben.

Auch in diesem Buch konnten wir nur Anregungen geben. Es liegt an Ihnen, liebe Leserinnen und Leser, sie in die Tat umzusetzen.

Dafür wünschen wir Ihnen einen »traumhaften« Erfolg!

Annette Kast-Zahn und
Hartmut Morgenroth

Zum Nachschlagen

···⊱ Quellennachweis

S. 14, S. 30 f.: Ferber, R. (1985): *Solve Your Child's Sleep Problems.* Simon & Schuster

S. 15: Sleep in America Poll. National Sleep Foundation 2004, Final Report

S. 15: Kast-Zahn, A./Morgenroth, H. (1995): *Erfahrungen und praktische Hinweise für den Umgang mit Schlafproblemen im Säuglings- und Kindesalter.* In: der kinderarzt 26, Nr. 1, 46–52 und Nr. 2, S. 204–212

S. 28: Aserinsky, E./Kleitman, N. (1953): *Regularly occuring periods of eye motility and concomitant phenomena during sleep.* In: Science 118, S. 273–274

S. 29: Roffwarg, H. P. et al. (1966): *Ontogenetic development of the human sleep-dream cycle.* In: Science 152, S. 273–274.

S. 44: American Academy of Pediatrics, Task Force on SIDS, November 2005, Pediatrics Vol. 116 No. 5

S. 49: Cuthbertson, J./Schevill, S. (1985): *Helping Your Child Sleep Through the Night.* Doubleday

S. 53 Wolke, D. (1994): *Die Entwicklung und Behandlung von Schlafproblemen und exzessivem Schreien im Vorschulalter.* In: Petermann (Hrsg.): Verhaltenstherapie mit Kindern, S. 154–208. Gerhard-Röttger-Verlag

S. 65: Klackenberg, G. (1987): *Incidence of parasomnias in children in a general population.* In: Guilleminault, Ch. (Hrsg.): Sleep and its disorders in children. S. 99–113. Raven Press

S. 65: Lozoff, B. et al. (1984): *Cosleeping in urban families with young children in the United States.* In: Pediatrics 74, 171–182

Glaeske, G. (1994): *Arzneimittel.* In: Jahrbuch Sucht, S. 160–175, Neuland Verlagsgesellschaft

S. 162: Meiner, E. et al (1989): *Verschreibung von Psychopharmaka im Kindesalter.* In: Dt. Ärzteblatt, 86, S. 28/29, B-1469–B-1471

S. 162: Richman, N. (1985): *A double-blind drug trial of treatment in young children with waking problems.* In: Child Psychol. Psychiat. 26, S. 591–598

···❯ Bücher, die weiterhelfen

Weitere Bücher der Autoren (siehe auch Anzeige Seite 175)

Kast-Zahn, Annette: *Jedes Kind kann Regeln lernen.* GRÄFE UND UNZER VERLAG, München

Kast-Zahn, Annette/Morgenroth, Hartmut: *Jedes Kind kann richtig essen.* GRÄFE UND UNZER VERLAG, München

Kast-Zahn, Annette: *Jedes Kind kann Krisen meistern.* GRÄFE UND UNZER VERLAG, München

Bücher anderer Autoren

Kunze, Petra/Keudel, Dr. med. Helmut: *Schlafen lernen – sanfte Wege für Ihr Kind.* GRÄFE UND UNZER VERLAG, München

Largo, Remo H., *Babyjahre. Entwicklung und Erziehung in den ersten vier Jahren.* Piper Verlag, München

Bücher zum Vorlesen

Campanella, Marco: *Leo Lausemaus will nicht schlafen.* Lingoli Verlag, Köln *(ab etwa 2 Jahren)*

Lindgren, Astrid: *»Nein, ich will noch nicht ins Bett!«.* Oetinger Verlag, Hamburg *(für Vorschulkinder)*

Müller, Else/Meister, Alice: *Träumen auf der Mondschaukel. Autogenes Training mit Märchen und Gute-Nacht-Geschichten.* Kösel Verlag, München *(für Schulkinder)*

Osterwalder, Markus: *Bobo Siebenschläfer. Bildgeschichten für ganz Kleine.* Rowohlt Verlag, Reinbek bei Hamburg *(ab etwa 2 Jahren)*

Swoboda, Annette/Maar, Paul: *Friedlich schlafen kleine Drachen.* Oetinger Verlag, Hamburg *(ab etwa 2 Jahren)*

Zum Vorsingen

Diekmann, A./Ungerer, T.: *Das große Liederbuch. 204 deutsche Volks- und Kinderlieder.* Diogenes Verlag, Zürich

CDs mit Schlafliedern und -geschichten

Piper, Tommy/Gerken, Katrin/Missler, Robert: *Reise leise durch die Nacht. Klingende Lieblingsgeschichten.* ars edition *(ab etwa 3 Jahren)*

Unser Sandmännchen: *La-Le-Lu.* Europa/Sony BMG

⸱⸱⸱› Adressen, die weiterhelfen

Berlin
Arbeitskreis Neue Erziehung e. V.
Hasenheide 54
10967 Berlin
www.ane.de, www.aktiv-fuer-kinder.de
Informationen rund um die Erziehung,
auch zum Thema Schlafen

München
Bundesarbeitsgemeinschaft
Elterninitiativen (BAGE) e. V.
Axel-Springer-Str. 40/41
10969 Berlin
www.bage.de

Fürth
Bundeskonferenz für
Erziehungsberatung e. V.
Herrnstraße 53
90763 Fürth
www.bke.de
Adressen der Erziehungsberatungsstellen
bundesweit

Wien
Elternwerkstatt. Verein im Dienst von
Kindern, Eltern, PädagogInnen
Altmannsdorferstraße 172/31/2
1230 Wien
www.elternwerkstatt.at
Informationen und Angebote rund um
Familie und Erziehung

Zürich
Elternnotruf Zürich,
Weinbergstraße 135
8006 Zürich
Telefon 044/261 88 66
www.elternnotruf.ch
Rund um die Uhr telefonische Beratung,
etwa wenn den Eltern die Entwicklung
ihres Kindes Sorgen macht oder sie sich
als Eltern überfordert fühlen.

⸱⸱⸱› Internet-Links

www.familienhandbuch.de
Rat und Hilfe in allen Erziehungsfragen,
auch zum Thema Schlafen

www.gaimh.de
Unter der Rubrik »Für Eltern« finden Sie
Adressen von Schreiambulanzen und
Beratungsstellen in Deutschland, Öster-
reich und der Schweiz.

www.babycenter.de
Fachkundiger Expertenrat

www.rund-ums-baby.de
Viele Informationen: Experten-Foren zu
verschiedenen Themen

www.eltern.de
Aktuelle Informationen zu zahlreichen
Familienthemen

Impressum

© 2007 GRÄFE UND UNZER VERLAG
GmbH, München
Alle Rechte vorbehalten. Nachdruck,
auch auszugsweise, sowie Verbreitung
durch Bild, Funk, Fernsehen und Internet, durch fotomechanische Wieder-
gabe, Tonträger und Datenverarbei-
tungssysteme jeder Art nur mit schrift-
licher Genehmigung des Verlages.

Programmleitung: Ulrich Ehrlenspiel
Redaktion: Anja Schmidt
Lektorat: Barbara Kohl
Bildredaktion: Henrike Schechter

Fotos: Getty: vordere Umschlagseite,
S. 1, 40, 74; Corbis: S. 3, 8, 10, 20, 58,
76, 86, 138; Mother & Baby Picture
Library: S. 2, 6, 154; Picture Press:
S. 42; Digital Vision: S. 140; privat:
S. 169, hintere Umschlagseite
Computer-Grafiken: Detlef Seidensticker
Illustrationen: Isabelle Fischer
Syndication: www.jalag-syndication.de
Layout: independent Medien-Design,
Horst Moser
Herstellung: Susanne Mühldorfer
Satz: Filmsatz Schröter
Lithos: Repro Ludwig, Zell am See
Druck: Firmengruppe APPL, aprinta
druck, Wemding
Bindung: Firmengruppe APPL, m.appl,
Wemding

ISBN 978-3-7742-7409-9

7. Auflage 2010

Umwelthinweis

Dieses Buch wurde auf chlorfrei ge-
bleichtem Papier gedruckt. Um
Rohstoffe zu sparen, haben wir auf
Folienverpackung verzichtet.

Wichtiger Hinweis

Die Ratschläge in diesem Buch stellen
die Meinung beziehungsweise Erfahrung der Verfasser dar. Sie wurden
von den Autoren nach bestem Wissen
erstellt und mit größtmöglicher Sorg-
falt geprüft. Dennoch können nur Sie
selbst entscheiden, ob die hier ge-
äußerten Vorschläge und Ansichten auf
Ihre eigene Lebenssituation übertrag-
bar und für Sie beziehungsweise Ihr
Kind passend und hilfreich sind. Keinesfalls bieten diese jedoch Ersatz für
eine kompetente medizinische oder
therapeutische Beratung.
Weder Autoren noch Verlag können für
eventuelle Nachteile oder Schäden, die
aus den im Buch gegebenen prakti-
schen Hinweisen resultieren, eine Haf-
tung übernehmen.

GRÄFE
UND
UNZER

Ein Unternehmen der
GANSKE VERLAGSGRUPPE

Unsere Garantie

Alle Informationen in diesem Ratgeber
sind sorgfältig und gewissenhaft
geprüft. Sollte dennoch einmal ein
Fehler enthalten sein, schicken Sie
uns das Buch mit dem entsprechenden
Hinweis an unseren Leserservice
zurück. Wir tauschen Ihnen den GU-
Ratgeber gegen einen anderen zum
gleichen oder ähnlichen Thema um.

Liebe Leserin und lieber Leser,

wir freuen uns, dass Sie sich für ein
GU-Buch entschieden haben. Mit
Ihrem Kauf setzen Sie auf die Qualität,
Kompetenz und Aktualität unserer
Ratgeber. Dafür sagen wir Danke! Wir
wollen als führender Ratgeberverlag
noch besser werden. Daher ist uns
Ihre Meinung wichtig. Bitte senden Sie
uns Ihre Anregungen, Ihre Kritik oder
Ihr Lob zu unseren Büchern. Haben
Sie Fragen oder benötigen Sie weite-
ren Rat zum Thema? Wir freuen uns
auf Ihre Nachricht!

Wir sind für Sie da!
Montag – Donnerstag: 8.00 – 18.00 Uhr;
Freitag: 8.00 – 16.00 Uhr
Tel.: 0180-5 00 50 54*   *(0,14 €/Min. aus
Fax: 0180-5 01 20 54*   dem dt. Festnetz/
                         Mobilfunkpreise
E-Mail: maximal 0,42 €/Min.)
leserservice@graefe-und-unzer.de

P.S.: Wollen Sie noch mehr Aktuelles
von GU wissen, dann abonnieren Sie
doch unseren kostenlosen GU-Online-
Newsletter und/oder unsere kostenlosen Kundenmagazine.

GRÄFE UND UNZER VERLAG
Leserservice
Postfach 86 03 13
81630 München